KB092611

논·술·한·국·대·표·문·학

33

홍길동전·양반전

허균 | 박지원

훈민출판사

〈홍길동전〉에서 홍길동은 계모 초란의 음모로 집을 나와 절에서 수양을 쌓으며 무예 공부도 한다. (사진은 경남 합천의 해인사)

The Best Korean Literature

〈홍길동전〉에서 홍길동의 아버지 홍 판서는 자신의 집 뒤뜰 연못에서 용이 나오는 꿈을 꾼 뒤 길동을 낳는다.

백마. 홍길동은 천하장사로, 무예에 능하여 날쌘 말을 타고 달리며 수많은 관군을 물리친다.

허균 문학비. 허균은 조선 중기의 문신으로, 서얼 출신의 이달에게 학문을 배웠는데, 이것이 〈홍길동전〉을 쓰는 계기가 되었다.

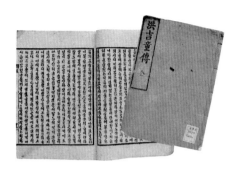

〈홍길동전〉의 표지 원본

강릉 시가의 모습. 허균은 아버지 허엽이 경상도 관찰사로 있을 때 외가인 강릉에서 태어났다.

〈홍길동전〉의 표지

〈홍길동전〉에서 홍길동은 어느 섬에 이상국인 율도국을 세우고 행복하게 살다가 부인과 함께 승천한다.

양반의 지위를 나타내는 품계석. 〈양반전〉에서 부자 상인은 문권에 기록된 양반의 특권과 지켜야 할 내용을 듣다가 양반 되기를 거절하고 도망친다.

The Best Korean Literature

과거 시험. 조선 시대에 양인들도 과거 시험에 합격하면 벼슬을 하고 양반이 될 수 있었다. 그러나 천민이나 서얼 출신은 과거 문과에 응시할 수 없었다.

구인환(丘仁煥)

서울대학교 사범대학 졸업. 동 대학원 졸업(문학박사)
서울대학교 명예교수, 소설가(현). 서울대학교 사범대학 국어교육연구소 소장(현)
문학과문학교육연구소 소장(현). 국제펜 한국본부 부회장(현)
한국소설문학상(1987) 예술문화대상(1994) 한국문학상(2000)
작품 〈숨쉬는 영정〉, 〈살아 있는 날들〉, 〈일어서는 산〉 외 다수

• **저서** ≪한국단편소설의 이해≫, ≪한국현대소설의 비평적 성찰≫,
　　　≪고교생이 알아야 할 소설≫, ≪고교생이 알아야 할 세계단편소설≫ 외 다수

윤병로(尹柄魯)

성균관대학교 국어국문학과 졸업. 동 대학원 졸업(문학박사)
성균관대학교 교수, 문학평론가(현). 한국현대소설학회장(현)
한국문예학술저작권협회 이사(현). 한국간행물윤리위원회 위원(현)
한국펜 문학상(1987). 한국문학상(1988). 대한민국문학상(1989)
수필집 ≪나의 작은 애인들≫

• **저서** ≪현대 작가론≫, ≪한국 현대 소설의 탐구≫,
　　　≪한국　근대 작가 작품 연구≫, ≪한국 현대작가의 문제작 평설≫ 외 다수

홍성암(洪性岩)

고려대학교 국어국문학과 졸업. 한양대학교 대학원 국어국문학과 졸업(문학박사)
동덕여자대학교 교수, 소설가(현). 한국문인협회 회원(현)
한국소설가협회 이사(현). 국제펜 한국본부 소설분과 이사(현). 한민족 문화학회 회장(현)
창작집 ≪큰 물로 가는 큰 고기≫, ≪어떤 귀향≫ 외
대하역사소설 ≪남한산성≫(전9권) 외 다수

• **저서** ≪문학의 이해≫, ≪현대 작가론≫, ≪한국 근대 역사소설 연구≫ 외 다수

기
획
•
감
수

박지원의 편지글과 〈연암집〉. 박지원은 문학의 특성을 살리면서도 당시의 사회 문제를 잘 나타낼 수 있는 주제와 표현 방법에 대해 고민하다가 풍자소설이라는 영역을 개척하여 〈양반전〉, 〈호질〉 등을 썼다.

논술 한국대표문학을 펴내며

21세기의 사회는 '**전자 문명 시대**'라 일컬어질 만큼 오늘날 전자 산업은 우리 생활의 거의 모든 분야에 다양하게 응용되고 있습니다. 출판 분야 또한 예외는 아니어서, 종래의 서책(Book) 대신에 이른바 '전자책(CD-ROM)'의 출간이 최근 들어 날로 증가하고 있습니다.

그러나 이러한 전자책은 영상 또는 모니터상으로 흥미 위주나 백과사전식 지식을 습득하는 데는 효과적일지 모르지만, 문학 공부를 위해서는 별로 도움이 되지 않습니다. 바꾸어 말하면, 문학 공부는 각 지면마다 살아 숨쉬는 표현 하나하나를 독자 자신의 머리로 음미하면서 작품을 읽어 나가는 가운데, 풍부한 상상력의 배양과 함께 작가의 의도와 그 작품의 내면을 깊이 있게 이해함으로써 이루어지는 것입니다.

이에 훈민출판사에서는, 자라나는 학생들이 범람하는 영상 매체에 길들여지기 전에, 어려서부터 유명한 세계문학 작품들을 책자를 통하여 감명 깊게 읽고 감상함으로써, 올바른 문학 공부의 기틀을 다지고, 아울러 전인 교육도 할 수 있도록 《논술 한국대표문학(전60권)》을 펴내게 되었습니다.

작품 선정은, 초·중·고등학교 국어 교과서와 역사 교과서에 실리거나 소개된 문학 작품을 중심으로 하되, 그리스 신화와 성경 이야기 등의 고전에서부터 중세·근대·현대에 이르기까지 세르반테스·셰익스피어·톨스토이 등 세계 유명 작가들의 장·단편 소설들을 엄선·수록하였습니다. 또 세계의 명시도 별권으로 엮었으며, 특히 각 단락마다 '**논술 문제**'를 제시하여, 장차 대학입시를 비롯한 각종 '논술 고사'에 예비 지식을 쌓을 수 있도록 배려하였습니다. 아무쪼록, 이 《논술 한국대표문학(전60권)》이 자라나는 학생들에게 문학 공부의 주춧돌이 되고, 나아가 미래를 살아가는 데 **정신적 자양분**이 되기를 진심으로 바라 마지않습니다.

훈민출판사

차례

홍길동전

허 균

지은이

1569~1618년. 자는 단보, 호는 교산 · 성소 · 백월거사. 조선 선조, 광해군 시
대의 문신. 1597년 문과중시에 장원 급제, 좌참찬에까지 올랐으나, 광해군의 폭
정에 대항, 반란을 꾀하다가 탄로되어 참형을 당하였다. 자신의 개혁사상과 이상
을 그린 최초의 한글 소설 〈홍길동전〉을 비롯하여, 시문집 《성소복부고》 등 다수
의 문학 작품을 남겼다.

홍길동전

하녀의 아들

조선 세종 시절에 홍씨 성을 가진 재상이 살았다. 그는 조상 대대로 집안이 넉넉하고 큰 벼슬을 지내 왔다. 인물이 헌칠하고, 인품이 고결하며 학식이 뛰어나 그 이름을 나라 안에 떨쳤다. 이 홍 재상에게는 아들이 둘 있었다. 맏아들은 인형이인데 부인인 유씨의 소생이었고, 둘째 아들은 길동이로 춘섬이라는 하녀의 소생이었다.

길동은 본디 생김생김이 남달리 훌륭해 보여 보는 사람마다 장차 훌륭한 영웅 호걸이 될 것이라고 칭찬을 하였다. 길동은 차차 자라 여덟 살이 되니 총명한 모습을 많이 보여 주었다. 그는 모든 면에서 또래의 아이들과는 다르게 뛰어났다. 하나를 알면 백을 깨우친다는 말을 그대로 보여 주는 신동이었다.

"길동이는 신동이야!"

사람들은 길동이만 보면 칭찬을 아끼지 않았다. 그러나 길동은 그런 말을 들을 때마다 오히려 가슴이 아팠다. 아지랑이 속에서 종달새가 울었다. 그 새는 슬퍼서 우는지 기뻐서 우는지 아무도 모른다. 그러나 길동의 귀에는 모두 슬퍼서 우는 소리로 들렸다. 봄이 되면 꽃도 활짝 피고 온갖 새들이 몰려와 노래를 하지만 길동의 눈에는 이 모든 것이 슬퍼 보일 뿐이었다. 온갖 생물들이 다 뜻이 있어 생겨났겠지만, 길동에게는 모든 것이 다 의미 없게 생각되었다.

'나는 무엇 하러 이 세상에 태어났을까?'

길동은 자기를 낳아 준 어머니가 오히려 원망스럽기까지 하였다. 길동은 바로 하녀의 자식이었다. 세도가 당당한 홍 판서의 아들로 태어나기는 하였지만, 천한 하녀의 몸에서 태어났다 하여, 아버지를 아버지라고 부르지 못하고 대감 마님이라고 불러야 하였다. 또 큰어머니 몸에서 태어난 인형 형을 형이라고 부르지 못하고 진사님이라고 불러야 하였다.

이것이 나라의 법이었다. 나라의 법은 이것뿐만이 아니었다. 그의 집안이 양반이면 손자까지 대대로 양반 노릇을 하였고, 농사를 짓거나 장사를 하면 언제까지나 상놈 취급을 받았다.

그것뿐만이 아니었다. 높은 벼슬은 양반들이 모두 독차지하였고, 아무리 학문이나 재주가 뛰어나도 상놈에게는 벼슬자리를 주지 않았다. 어떻게 운이 좋아 벼슬을 하더라도 아주 낮은 자리에 머무를 뿐, 높은 자리에는 오르지 못하였다.

'이런 불공평한 세상이 어디 있단 말인가!'

길동은 주먹을 불끈 쥐고 마음속으로 부르짖었다.

'이런 제도는 하루 속히 없어져야 한다. 만일 없어지지 않는다면 억지로라도 없애 버려야 한다.'

길동의 눈은 이글이글 불타올랐다. 앞에 누가 있다면 당장 때려눕힐 것 같았다.

'나는 이 세상에 왜 태어났을까?'

길동은 또다시 이렇게 중얼거려 본다. 지금같이 살아가려면 차라리 이 세상에 태어나지 않은 것이 나을 것 같았다. 모든 사람들이 자기를 비웃는 것 같았다.

"아버지가 이조판서면 뭐해! 나는 죽을 때까지 하녀의 아들인데."

길동은 문득 어제 있었던 일을 생각하였다. 친구들과 동산에서 병정 놀이를 하였었다. 그 곳에 이웃에 사는 재상집의 아이들이 올라와서 구경을 하고 있었다.

"허, 칼을 제법 쓰는데!"

그 아이들 중 하나가 길동을 비웃으며 하는 말이었다.

"칼을 잘 쓰면 뭘 해. 고작해야 정 5품인걸."

한 아이가 맞장구를 쳤다.

"그야 그렇지. 제까짓 게 아무리 재주가 있으면 뭘 해. 첩의 자식인 걸, 뭐."

"흥, 그래도 저 아이들 속에서는 제법 잘난 척하는데."

"그야 상놈끼리 어울리니까 그렇지."

"흥, 대감의 체면이나 깎이지 않게 집에나 있지 뭐 하러 돌아다니는 거야."

길동은 재상집 아이들이 비웃는 소리를 듣고서도 꾹 참을 수밖에 없었다. 길동이와 같이 노는 아이들은 어느 누구도 그 아이들의 말에 대꾸할 수가 없었다. 힘으로 한다면 충분히 이길 수 있지만 신분 때문에 도저히 맞설 수 없는 것이다. 아무리 화가 나도 이를 꽉 물고 참는 도리 밖에 없었다. 그럴 때마다 길동은 자신이 천하게 태어난 것이 원망스러 웠다.

'적자(정실 아내가 낳은 아들)는 무엇이고 서자(첩이 낳은 아들)는 무엇인가?'

아무리 외쳐 보아도 어린 길동이로서는 이 제도에 따르고 굴복하는 수밖에 없었다. 이 사회에서 상놈은 죽은 목숨이나 마찬가지였다. 양반이 죽으라면 죽고, 살라면 사는 수밖에 없는 형편이었다. 길동은 자라나면서 더욱 자신의 처지를 한탄하였다.

'사나이로 태어났으면 그 보람이 있어야 할 것 아닌가! 그런데 나는 무엇을 할 수 있다는 말인가? 서자의 몸으로 무엇을 할 수 있단 말인가!'

길동의 눈에서는 눈물이 주르르 흘렀다. 재상집 아이들의 거만하게 웃는 얼굴이 떠오를 때면 길동은 이를 갈았다.

'어디 두고 보자. 반드시 너희를 꺾어 놓고 말 테다. 내가 이러고 있을 때가 아니다. 어서 힘을 기르자. 힘을 길러야만 복수를 할 수 있다.'

길동은 산으로 들어갔다.

'이놈들, 몽둥이 맛을 보거라.'

길동은 몽둥이를 마구 휘둘렀다. 그러다가 큰 나무를 딱 때렸다. 이렇게 몇 번 하고 나니 마음이 좀 풀렸다.

"아아, 답답하다. 아무리 책을 읽고 학문을 닦아도 답답한 이 가슴은 풀리지 않는구나. 차라리 말을 달리고 칼을 휘두르며 온 천하를 내 마음대로 호령이나 해 보았으면…… 그게 사나이의 떳떳한 보람 아닌가!"

이렇게 마음을 먹자 길동의 가슴은 뛰었다.

'자, 이제부터 나는 칼을 들고 세상으로 나설 것이다.'

길동은 저녁때가 다 되어서야 집으로 돌아왔다. 길동은 갑자기 어머니 품이 그리워졌다. 모든 사람들이 자기를 비웃고 천대해도 어머니만은 자기를 감싸 주고 따뜻하게 품어 주었다. 어머니는 길동이만을 의지하고 살았다.

지금까지 하녀로 살아온 어머니의 고통에 비한다면 자기의 고통은 아무것도 아니라는 생각이 들었다.

'어머니를 행복하게 해 드려야지.'

길동은 어머니가 불쌍하다고 생각하였다.

담 밑에서 놀던 병아리들이 어미닭의 날개 밑으로 들어가고 있었다. 그 때 어디선가 검정개 한 마리가 어미닭을 향하여 뛰어들었다.

"앗!"

길동은 날쌔게 돌멩이를 주워들었다. 뜻밖의 습격을 당한 어미닭은 놀라서 어찌할 줄을 몰라 하였다. 그런데 어미닭은 병아리들을 뒤로 보내고 앞에 나와 개와 맞섰다. 개도 어미닭이 무서운지 잠시 주춤하고 있었다.

"이놈의 개새끼, 왜 약한 닭을 못살게 구느냐!"

길동은 힘껏 돌멩이를 던졌다. 돌멩이는 정확하게 개를 맞혔다. 개는 깨갱 하며 그 자리에 쓰러졌다.

"이놈! 약한 자를 못살게 굴면 그런 꼴을 당하게 되는 거다."

그것은 개에게 말한 것이지만 사실은 강자인 양반들에게 외치는 소리였다. 어미닭은 병아리들을 데리고 담장으로 돌아갔다.

"약자는 반드시 신이 돕는다. 용기를 내자."

길동은 흐뭇한 마음으로 집으로 들어갔다.

홍 판서의 태몽

어느 날, 홍 판서는 꿈을 꾸었다. 백발이 성성하고 풍채가 좋은 노인 한 분이 나타나서,

"나는 뒤뜰 연못에 살고 있는 청룡인데, 요새 황룡 하나가 나타나서 내가 살고 있는 곳을 빼앗으려 하니 큰 걱정이오. 이 연못은 내가 당신네 조상 대대로부터 살아온 곳이오. 황룡에게 이 연못을 빼앗긴다

면 억울해서 못 살 것이오. 그러나 나는 이미 늙어서 힘이 없으니, 당신이 나를 도와주시오."

하고 간청을 하였다.

"그렇다면 제가 힘닿는 데까지 도와드리겠습니다. 그런데 어떻게 도와드려야 하는지요?"

홍 판서는 노인에게 그 방법을 물어보았다.

"고맙습니다. 그러면 내가 내일 황룡과 싸울 테니, 그 때 당신이 나오셨다가 황룡이 몸을 번쩍 쳐드는 때를 보아 활로 그 황룡을 쏘아 주십시오."

"네, 그렇게 하겠습니다."

노인은 고맙다고 인사를 하고, 어디론지 사라져 갔다.

그와 동시에 홍 판서도 잠에서 깨어났다.

'참, 이상한 꿈을 꾸었구나!'

홍 판서는 눈을 뜬 채 방안을 둘러보았다. 꿈에서 본 노인은 보이지 않았다. 그러나 홍 판서는 그 노인이 자기의 집안을 도와주는 분처럼 느껴졌다. 그 동안 홍 판서 집안의 사람들은 대대로 높은 벼슬을 하며 권세를 누려왔다. 서울 장안에서도 홍 판서 댁이라고 하면, 모두 부러워하고 두려워할 정도로 세도가 당당하였다. 그것도 다 홍 판서 집안을 돌보아 주는 꿈에서 본 그런 노인이 있어서 그런 것 같다고 홍 판서는 생각하였다. 홍 판서는 그 노인이 한없이 고마웠다. 홍 판서는 활을 잘 쏘았다. 그래서 노인의 부탁대로 황룡을 쏘아 은혜를 갚으리라고 생각하였다.

"여봐라!"

홍 판서는 자리에서 일어나 하인을 불렀다.

"대감 마님, 부르셨습니까?"

"지금 활을 손질해서 가지고 오너라."

"사냥하러 가십니까?"

"아니다. 좀 쓸 일이 있어서 그런다."

"네!"

하인은 대답을 하고 물러나왔지만 이상한 생각이 들었다. 사냥도 안 가면서 왜 활을 찾으시는지 이해를 할 수 없었기 때문이다. 그래도 하인은 얼른 가서 활을 가지고 왔다.

"대감 마님, 여기 활을 가지고 왔습니다."

홍 판서가 문을 열고 나왔다.

"대감 마님, 소인이 따라갈까요?"

"아니다. 먼 데 가는 것도 아니고 뒤뜰 연못에 가는 것이니, 너는 따라오지 않아도 된다."

"연못에 나가시는데 활은 왜 가지고 가십니까? 혹시 새라도 잡으시려는지요?"

"새보다 더 큰 놈을 잡을 것이다."

"네? 새보다 더 큰 놈이라니요? 그런 놈이 연못가에 있습니까?"

"너는 용을 본 일이 있느냐?"

"네? 용이라고요!"

"그래, 너는 용도 모른단 말이냐?"

"그런 것이 아니고, 연못에 용이 나타났다는 말씀이십니까?"

"그렇다."

하인은 눈이 휘둥그레졌다. 갑자기 대감 마님의 정신이 이상해진 것 같았다. 그렇지 않고서야 갑자기 활을 가지고 용을 잡으러 연못가로 갈 리가 없었다. 하인은 더럭 겁이 났다. 그저 눈치만 살피고 있었다.

"너는 모르는 일이다. 활을 이리 다오."

"대감 마님, 그러나 용은 무섭다고 합니다. 혹시 무슨 일이라도 생기면 어찌하옵니까?"

"염려 말고 물러가 있거라."

"네, 혹시 무슨 일이 생기면 바로 부르십시오."

"그래, 알았다."

홍 판서는 활을 들고 뒤뜰 연못가로 걸어갔다. 봄이라 나무마다 꽃이 피고, 새들은 노래를 불렀다. 홍 판서는 연못가에 와서 한참 동안 연못 안을 들여다보았다. 그 못에 청룡이 살고 있다니 신기하기 이를 데 없었다. 꾸룩꾸룩 개구리가 울었다. 그 개구리가 혹시 용이 변한 것인가 하여 자세히 바라보았다. 그 때, 갑자기 연못 위에 검은 구름이 생기더니 사방이 캄캄해졌다. 홍 판서는 얼른 하늘을 쳐다보았다. 그랬더니 그 구름 속에 황룡의 꼬리가 보였다. 그러나 홍 판서는 용을 보는 것이 처음이므로 어쩐지 무서운 생각이 들어, 멍하니 쳐다보고만 있었다. 그러는 동안 구름이 걷히고 다시 하늘이 맑아졌다. 용도 어디로 갔는지 보이지 않았다.

'도와달라고 하더니 아무 소식도 없으니 어쩐 일인가?'

홍 판서는 혼자 중얼거리며 다시 연못을 들여다보았다. 그러나 청룡은 나타나지 않았다. 저쪽에서 개구리가 눈을 부릅뜨고 이쪽을 노려볼 뿐이었다. 홍 판서는 좀 무서워졌다. 그래서 다시 집 안으로 돌아오고 말았다.

그날 밤, 홍 판서는 또 꿈을 꾸었다. 역시 어젯밤에 나타났던 그 노인이 나타나서 원망하듯 말하였다.

"어째서 낮에 그 황룡을 쏘아 주시지 않으셨습니까?"

"정말 미안하게 되었습니다. 사실은 생전 처음으로 용을 보니 정신이 없어서 그냥 쳐다보고만 있었습니다."

홍 판서는 머리를 긁적이며 미안해하였다.

"그러면 내일은 꼭 좀 도와주시오."

"네, 염려 마십시오. 그 구름 속의 황룡을 쏘기만 하면 되는 것이지요?"

"그렇습니다. 당신의 그 잘 쏘는 활로 꼭 맞혀 주시오."

"이번에는 틀림없이 꼭 쏘아 맞히겠습니다."

"고맙습니다. 그럼 또 뵙겠습니다."

노인은 단단히 부탁을 하고 사라졌다.

이튿날, 홍 판서는 다시 연못가로 가서 두 용이 나타나 싸우기를 기다렸다. 조금 있자, 어제처럼 연못 위에 검은 구름이 덮이고 그 속에서 청룡과 황룡이 꿈틀거리며 싸우고 있었다.

'오늘은 꼭 쏘리라!'

홍 판서는 이렇게 벼르며 화살을 가지고 기다렸다.

그 때 구름 밖으로 황룡의 꼬리가 나타났다.

"저것이다!"

홍 판서는 화살을 당겼다. 활 솜씨가 뛰어난 홍 판서의 화살은 황룡을 명중시켰다. 구름 속에서 피가 주르르 흘러 연못으로 쏟아졌다.

"이만하면 황룡이 죽었겠지!"

홍 판서는 빙그레 웃으며 집으로 돌아왔다. 그날 밤 꿈에 그 노인이 또 나타났다. 노인은 얼굴에 기쁨을 감추지 못하며 말하였다.

"정말 고맙습니다. 황룡은 당신의 화살에 맞아 죽었습니다. 이제는 마음놓고 연못에서 살 수 있게 되었습니다. 이 은혜를 무엇으로 갚아야 할지 모르겠습니다."

"그까짓 게 은혜랄 것 있습니까? 어쨌든 황룡이 죽어 편하게 사시게 되었다니, 정말 다행입니다."

"사례를 드리고 싶은데 무엇이든지 소원을 말씀해 주십시오. 한 가지는 꼭 들어 드리겠습니다."

"천만의 말씀입니다. 특별히 바라는 소원도 없습니다."

"그래도 나로서는 은혜를 입고 그대로 있을 수는 없습니다. 그러니 무엇이든 말씀하십시오."

"글쎄요……."

노인이 자꾸 말하자 홍 판서는 무엇을 이야기해야 하나 한참 생각하였다.

"글쎄올시다. 소원을 말하라고 하시니 한 가지만 말씀드리겠습니다. 딴 것은 별로 부러운 것이 없는데, 슬하에 아들이 하나밖에 없어서 조금 쓸쓸합니다. 될 수 있으면 아들이나 하나 더 두었으면 하는 것이 소원입니다."

"그거야 어려울 것이 없습니다. 기다려 보십시오."

"고맙습니다. 앞으로도 우리 집안을 잘 보살펴 주십시오."

"염려 마십시오. 제가 알고 있는 한, 계속 부귀와 영화를 누릴 것입니다."

그 말을 남기고 노인은 사라졌다. 그 뒤, 홍 판서는 하녀 춘섬을 맞아 아들을 낳았다. 이 아이가 바로 길동이었다. 아주 길한 꿈을 꾸고 낳은 아이라서 길동이라고 이름을 지은 것이다. 길동은 태어날 때부터 보통 아이들과는 달랐다. 눈은 초롱초롱 빛나고 이마에는 영웅의 기상이 흐르고 있었다. 그리고 팔다리에는 패기가 넘치고 있었다.

홍 판서는 이 아이가 부인의 몸에서 태어나지 못한 것이 좀 섭섭하였다. 그렇지만 아들을 얻은 것이 매우 기뻤다.

'이 아이는 청룡이 보내 주신 아이이다.'

홍 판서는 이렇게 생각하고, 꿈에서 본 그 노인에게 감사를 드렸다.

무예를 익히는 소년

가을밤이었다. 홍 판서 댁 뒤뜰에 달빛이 환하게 비추고 있었다. 홍 판서 댁 사람들은 모두 잠이 들었다. 아주 조용한 밤이었다.

그 때 바스락바스락 낙엽 밟는 소리가 들렸다. 아무도 찾아올 사람이 없는데 참으로 이상한 일이었다. 연못가로 그림자 하나가 걸어오고 있었다. 그의 손에는 긴 칼이 들려 있었다. 달빛에 칼이 번쩍거렸다. 이 사람은 바로 이 댁 둘째 도령인 길동이었다.

길동은 낮에는 글을 읽고 밤에는 뒤뜰에서 칼 익히기에 열중이었다. 길동은 먼저 몸을 깨끗이 씻고 마음을 가다듬은 다음, 칼을 익혔다. 처음에는 나무칼로 연습을 하였지만, 지금은 진짜 칼을 마구 휘두를 수 있게 되었다. 이제는 적과 싸워도 이길 자신이 있었다. 길동은 스승에게 배운 적이 없었다. 칼로 천하를 다스리겠다고 다짐한 날부터 하루도 빠지지 않고 연습을 했던 것이다. 길동은 이제 친구들과 놀기도 싫어졌다. 첩의 자식이라고 놀림 받는 것이 싫었다.

그래서 길동은 언제나 방 안에 틀어박혀 공부만 하였다. 공부는 과거를 보기 위하여 하는 것이 아니었다. 칼 다루기, 싸움하는 법 같은 것이 적혀 있는 병서만을 읽었다. 그러다가 소풍을 나가게 되면, 산속에 들어가서 실제로 칼 쓰는 법을 익히곤 하였다. 칼을 어떻게 써서 어디를 어떻게 공격하며, 또한 적들이 쳐들어올 때 자기의 몸을 어떻게 피하며 막을 것인가를 열심히 연구하고 연습하였다. 길동은 매일매일 정자나무와 싸움 연습을 하였다.

그러는 동안 자기의 손에 쥔 칼에 자기의 혼이 통하는 것을 느꼈다. 칼과 그는 완전히 한몸이 되었다. 길동은 검술만 배운 것이 아니라 《주역》 공부와 둔갑법, 천문 지리와 축지법도 연구하였다.

어느 날이었다. 홍 판서는 잠이 오지 않아 뒤뜰로 나왔다. 그런데 연못가에 이르자 사람의 그림자가 눈에 들어왔다.

'아니, 저게 누구지?'

홍 판서는 깜짝 놀라 나무 뒤에 숨어 동정을 살펴보았다. 그 사나이는 우물의 물을 떠서 몸을 씻은 다음, 정자나무 밑으로 걸어왔다. 자세히 보니 길동이였다.

'아니, 길동이가!'

홍 판서는 도둑이 아니어서 안심은 되었지만, 어째서 길동이가 밤이 깊었는데 몸을 씻는지 그 까닭을 알 수 없었다. 더구나 손에는 번쩍이는 칼을 들고 있었다.

'저놈이 무슨 짓을 하려고 저러는 게지?'

홍 판서는 의아한 마음으로 지켜보았다. 그렇지 않아도 요즘 꿈자리가 뒤숭숭한데, 길동이가 사람이라도 해치려 하는 것이 아닌가 걱정이 되었다.

길동은 칼을 번쩍 들고 정자나무를 노려보며 꼼짝도 안 하고 있었다. 그러다가 '에잇!' 소리를 지르며 다가들어 칼을 내리쳤다. 나뭇잎 하나가 떨어졌다.

'허, 저놈의 칼 솜씨가 대단하구나!'

홍 판서는 길동의 칼 쓰는 것을 보고 감탄하였다. 나무마다 가지가 많고 잎도 많았다. 칼로 내리쳤으면 나뭇가지가 잘라졌어야 한다. 그런데 나뭇잎 한 개만 달랑 잘려 내려온 것을 보면 그것은 보통 솜씨가 아니었다. 검술이 최고 수준임을 말해 주는 것이었다.

'허, 저놈이 언제 저렇게 칼 쓰는 법을 익혔을까?'

홍 판서는 길동의 칼 솜씨를 보고 대견스럽기보다는 오히려 두려웠다. 그래서 한참을 바라보고 있었는데, 갑자기 길동이 보이지 않았다.

홍 판서의 눈앞에서 감쪽같이 사라진 것이다.

'아니, 길동이가 어디로 갔을까? 지금까지 내 앞에서 칼을 휘두르고 있었는데……'

홍 판서는 눈을 둥그렇게 뜨고 주변을 둘러보았다. 그러나 길동이의 그림자는 어디에도 보이지 않았다.

'이거 내가 귀신한테 홀린 것인가!'

그 때 휙 하고 바람 소리가 들리더니, 아까 길동이가 섰던 자리에 흰 그림자가 우뚝 섰다. 바로 길동이었다.

'음, 저 녀석은 틀림없이 길동이다. 그런데 어디다 몸을 감추었다가 나타났을까?'

홍 판서는 너무나 신기하여 정신을 가다듬지 못하였다.

그러나 길동이로서는 조금도 신기할 것이 없었다. 지금의 그에게는 담 넘는 것쯤 아무것도 아니었다. 그만큼 익숙해 있었던 것이다. 자기 키의 두 배나 넘는 담을 그냥 훌쩍 뛰어넘는 것이 아니라, 먼저 몸을 솟구쳐 나뭇가지를 붙잡으면서 몸을 그네처럼 흔들어 담 위에 사뿐 올라서고, 또 올라서자마자 땅으로 뛰어내리는 것이었다. 그 동작이 어찌나 빠른지 얼른 보면 그냥 휙 담을 뛰어넘는 것 같았다.

"거기 있는 게 길동이 아니냐?"

홍 판서는 큰 소리로 불렀다. 길동은 갑자기 등 뒤에서 들려오는 아버지의 목소리를 듣고 깜짝 놀랐다.

"네, 길동이입니다. 대감 마님께서 어인 일이십니까?"

길동은 홍 판서 앞으로 가서 머리를 숙이고 말하였다.

길동은 혹시 꾸중이라도 들을까 봐 조마조마한 마음으로 두 손을 모으고 대답하였다.

"이 깊은 밤중에 무슨 일로 뜰을 배회하고 있느냐?"

"네, 다른 뜻이 아니오라 글을 읽다가 하도 달이 밝기에 잠시 나왔습니다."

"달이 밝아 나왔다면 그냥 나올 것이지, 그 손에 든 것은 무엇이냐?"

"......."

길동은 아무 말도 하지 못하였다. 밤이 깊은데 칼을 가지고 나왔다면 누구나 이상하게 생각할 것이기 때문이었다.

"어째서 아무 말이 없느냐?"

홍 판서의 음성은 더욱 커졌다.

"네, 칼이옵니다."

"칼이라니, 칼은 왜 가지고 나왔느냐? 혹시 누구를 해치려고 그러는 것이냐?"

홍 판서는 이미 길동이 검술을 익히는 모습을 보아 알고 있었지만, 일부러 그렇게 떠보았다.

"그런 것이 아니라, 실은 검술을 익히고 있습니다."

"검술을?"

"네!"

"검술을 익혀서 무엇에 쓰려고 그러느냐?"

"뜻하는 바가 있기 때문입니다."

"그 뜻하는 바가 무엇이란 말이냐?"

"장차 두고 보시면 아실 겁니다."

"이놈, 그게 무슨 말버릇이냐?"

"분명 저의 아버님이시지요?"

"그게 무슨 말이냐?"

"아버님, 저는 어찌하여 아버지를 아버지라 부르지 못합니까? 저의 이 몸에도 아버님의 귀중한 피가 흐르고 있는데 아버지를 아버지라고

부르지 못하니 어찌 사람 노릇을 할 수 있겠습니까?"

길동이의 눈물은 어느 새 옷깃을 적시고 있었다.

"그게 나라의 법인 길 어떻게 하느냐?"

"나라의 법도 사람이 만든 것 아닙니까? 고치면 되는 것 아닙니까?"

"고치다니? 나라 법을 어떻게 고친단 말이냐?"

"아무리 나라 법이라고 하여도 바르지 못한 것은 고치는 것이 현명한 일이 아닙니까?"

"누가 들을까 두렵구나. 큰일날 소리 하지 말고 들어가 자거라. 다시는 검술을 배우지 말거라. 그것보다는 글공부를 열심히 하거라."

"고작해야 정 5품밖에 오르지 못할 글공부를 하여서 무엇 합니까? 차라리 힘을 기르고 싶습니다."

"아니, 그게 무슨 소리냐? 네가 정말 겁이 없구나. 썩 들어가지 못할까!"

"아버님, 아버지를 아버지라고, 형을 형이라고 부르지 못하는 이 쓰라린 마음을 헤아려 주십시오."

홍 판서는 잠자코 달만 우러러보며 서 있었다. 그 역시 가슴이 미어지고 눈시울이 뜨거워졌다. 그러나 잠시 후, 고개를 돌리며 하는 말은 역시 바위같이 엄한 꾸지람이었다. 다정한 말을 해 주면 오히려 길동이의 슬픔이 더해지고 마음이 약해질까 두려웠기 때문이다.

"애비를 애비라고 부를 수 없는 자가 세상에 어디 너 하나뿐이냐! 그런데 너는 어찌 이리 경솔하게 구느냐? 앞으로 만약 이런 말을 또 한다면 용서하지 않고 엄하게 다스릴 것이다…… 어서 들어가서 글이나 읽거라."

"네!"

말을 마친 홍 재상은 길동에게 등을 보이고 저편으로 사라져 버렸다.

길동은 아버지가 제 마음을 전혀 몰라주는 것 같았다. 저편 수목 사이로 사라지는 아버지의 뒷모습을 바라보니 원망스러운 마음까지 들었다. 길동은 방으로 들어와서 소리를 죽여 울었다. 울면 울수록 설움이 복받쳤다. 뛰어난 재주를 가지고도 출세할 길이 없는 것을 한탄하며 서럽게 울었다.

　이 날부터 길동은 밤만 이슥하면 서당에서 칼을 들고 밖으로 나갔다. 처음에는 답답한 마음에 아무렇게나 휘두르는 칼질이었지만, 날이 가고 달이 바뀜에 따라 그것만으로 만족할 수 없었다. 이왕 칼질을 할 바에는 훌륭한 검술을 익혀 천하에 이름을 떨칠 장군이라도 되고 싶었다.

　이렇게 생각한 길동은 혹은 책을 읽고 혹은 스스로 궁리를 하며 검술을 연마하기에 온 힘을 바쳤다.

　하루는 밤이 이슥해지자, 길동이 어머니의 방으로 들어갔다. 길동은 어머니 앞에 꿇어 엎드려 목멘 소리로 말하였다.

　"어머님, 사람으로 태어나 어머님의 깊은 은혜를 어찌 제가 모르겠습니까. 그렇지만 저의 팔자가 기박하여 천한 몸이 되고 보니 맺힌 한이 아주 깊습니다. 어머님! 저는 더 이상 이 깊은 한을 참고 견딜 수가 없습니다."

　이 말을 들은 어머니의 얼굴에는 두려운 빛이 감돌았다.

　"별안간 그게 무슨 소리냐?"

　"어머님!"

　길동의 음성은 한층 더 떨렸다.

　"어머님! 불효자 길동은 이제 어머님 곁을 떠나려 합니다. 다만 제가 바라는 것은 불효자 길동이 염려는 마시고 어머님 건강을 조심하시라는 것입니다."

　길동이 말을 마치자, 어머니는 크게 놀라 와들와들 떨리는 목소리로 말하였다.

"귀한 집안에 천한 어미 몸을 빌려 태어난 사람이 너 하나만이 아닌데, 어찌 너만 그런 소리를 하여 이 어미의 마음을 슬프게 하느냐?"

애걸하듯 어머니가 말하였다. 그러자 길동이 옷깃을 여미며 조용히 말하였다.

"어머님, 예로부터 천하게 태어난 자로서 그 부모와 이별하고 산에 들어가 도를 닦은 후에 빛나는 이름을 세상에 남긴 분이 많습니다. 저도 그런 분들을 본받아 세상을 잠시 떠나려 합니다. 그러니 어머님도 안심하시고 뒷날을 기다려 주십시오."

길동은 길게 한숨을 쉬며 또 말하였다.

"그뿐이 아닙니다. 요즘 곡산 어미의 행색을 보니 대감의 사랑을 독차지하려고 우리 모자를 원수같이 여기고 있습니다. 이렇게 있다가는 언제 무슨 화를 입을는지 모를 일입니다. 그러니 어머님, 제가 나가는 것을 말리지 말아 주십시오."

초란의 흉계

초란은 본디 곡산에 살던 기생인데, 홍 판서가 귀엽게 여기어 셋째 부인으로 맞이하여 지금은 곡산 어미라고 불리고 있었다. 초란은 아주 교만하고 방자하여, 조금이라도 제 마음에 들지 않는 사람이 있으면 홍 판서에게 고자질을 하여 항상 집안에 불화를 일으켰다. 그러므로 하인들조차 그녀를 아주 싫어하였다.

초란에게는 아들이 없었다. 그런데 둘째 부인 춘섬이는 아들 길동을 낳아 홍 판서의 사랑을 받고 있으니 몹시 질투가 생기고 심술이 났다.

'그 길동이란 놈만 없으면…….'

하는 생각이 한시도 초란의 마음속에서 떠난 적이 없었다.

그래서 그녀는 어떻게 해서든지 길동을 없애 버리려고 갖은 계교를 다 꾸몄다.

하루는 그녀가 무당을 불러왔다.

"내가 긴한 부탁이 있어 자네를 청하였네."

초란은 무당이 자리에 앉자 조용히 말하였다.

"네, 무슨 부탁이신지요? 제가 힘닿는 데까지 도와드리겠습니다."

무당은 공손히 대답하였다.

"고맙네. 그런데 좀 어려운 부탁이라서……."

"말씀을 해 보십시오. 하늘에서 별을 따오라고 하신다면 별이라도 따오겠습니다."

이 무당은 초란이 곡산의 기생으로 있을 때부터 자주 대하던 무당이었다.

"이 말은 절대 입 밖에 내서는 안 되네."

"그럼요. 누구의 말씀이라고 입 밖에 내겠습니까!"

"그럼 안심하고 말하겠네. 지금 내게 눈엣가시 같은 사람이 있는데, 어떻게 해서든지 그 사람을 없애야 한단 말일세."

"그게 누구입니까?"

"내 몸이 편하려면 아무래도 저 길동이란 놈을 없애야 하겠어. 만약 자네가 이 소원을 들어 준다면 후하게 사례를 하겠네."

"굿을 할까요?"

"굿이라니? 번거롭게 굿을 하면 다른 사람들의 귀에 들어갈 것이 아닌가?"

무당 역시 마음이 나쁜 여자였다. 그녀는 욕심 많게 생긴 입술을 이리저리 핥으며 한참 궁리를 하였다.

그러다가 무릎을 탁 치며 이렇게 말하였다.

"그러면 이렇게 해 볼까요? 흥인문 밖에 관상을 잘 보는 여자가 있습니다. 사람의 얼굴을 한번 보기만 하면 예전에 있었던 일이나 앞일을 낱낱이 맞힌다고 합니다. 그러니 이 사람을 불러다가 소원을 말한 다음, 대감께 천거하여 길동의 관상을 보게 하면 그 사람은 되도록 나쁘게 이야기할 것입니다. 그 말을 들으시면 대감께서 크게 놀라시어 반드시 없애려고 할 것 아니겠습니까? 그러면 그 때를 이용하여……."

"그것 참 좋은 방법이군!"

초란은 손뼉을 치며 좋아하였다. 그녀는 즉시 은전 50냥을 내주며 말하였다.

"그럼 어서 가서 관상 보는 이를 데리고 오게. 일이 뜻대로 되기만 하면 내가 또 상을 내리겠네."

다음 날이었다.

홍 판서는 내당에 들어가 부인과 이야기를 하다가 길동이 이야기가 나오자 크게 한숨을 쉬며 말하였다.

"길동이가 당신의 몸에서 태어났다면 얼마나 좋았겠소."

부인은 의아한 눈으로 홍 판서를 바라보았다.

"글쎄, 그놈이 당신 몸에서 태어났다면 큰 인물이 될 것인데, 춘섬의 몸에서 태어나 아깝단 말이오."

"지금 와서 그것을 어떻게 하겠습니까? 뜻대로 안 되는 일을……."

"그러기에 더욱 안타까운 일이 아니오."

"되지 않는 일을 생각해서 무엇 하겠어요. 건강에 해롭습니다. 더 이상 생각하지 마십시오."

"생각하지 말자고 하여도 그놈의 재주가 너무나 아깝소."

"무엇을 보셨기에 하시는 말씀이십니까?"

“내 다 보았소. 아주 아까운 그릇이오!”

“송구합니다. 바보 같은 인형이 하나만 낳아서…….”

유씨 부인은 첩의 자식인 길동이만 칭찬하는 것에 마음이 언짢았다.

그 때 갑자기 뜰 아래서,

“대감 마님, 문안이오!”

하는 소리가 들렸다. 홍 판서가 문을 열고 뜰 아래를 내려다보니, 낮 모르는 여인이 와서 엎드려 있었다.

“너는 누구냐? 그리고 무슨 일로 왔느냐?”

“네, 쇤네는 관상을 보는 사람입니다. 지금 우연히 대감 마님 댁을 지나다가 마음이 끌려 이렇게 들어왔습니다.”

“뭐, 관상을 본다고?”

“대감 마님의 상을 한번 봐 올릴까 하여…….”

“허, 내 상을 보겠다고?”

“네, 한번 봐 드리게 해 주십시오.”

“그럼 이리로 올라오거라.”

여인은 마루로 올라왔다. 그녀는 홍 판서의 얼굴을 물끄러미 바라보다가 머리를 푹 숙이고 한숨을 깊이 쉬었다. 홍 판서는 그녀의 표정을 보고 갑갑하다는 듯이 말하였다.

“그래, 어떤 관상인가 말해 보아라.”

“네, 부귀와 영화……아무 부족할 것 없이 다 누리시겠습니다만, 단 한 가지…….”

“단 한 가지라니, 그게 무엇이냐?”

“네, 말씀드리기 황송해서…….”

“어서 말하거라.”

“장차 멸문지화(집안이 모두 죽임을 당하는 화)를 당하실 상입니다.”

"뭐라고?"

멸문지화라고 하면 그 많은 죄 중에서도 제일 무서운 역적죄였다. 홍 판서는 금방 얼굴이 새파랗게 질렸다.

"이런 고얀 것! 다시 한 번 말해 보거라."

홍 판서는 자리에서 벌떡 일어나 소리를 질렀다. 그러나 여인은 조금도 겁내지 않고 말하였다.

"대감 마님, 진정하십시오. 액운을 모면하는 방법이 있긴 합니다."

"그래? 진정으로 내 상이 그렇다는 말이냐?"

"뉘 앞이라고 거짓을 고하겠습니까?"

"그래, 그게 무슨 방법이냐?"

"대단히 어려운 방법입니다."

"어서 말해 보거라."

"네, 도련님 일이라서……."

"도련님이라니?"

"작은마님께 아들이 있는 것 같습니다."

"그래, 길동이라는 아들이 있다. 내가 그 애로 인해서 화를 입는단 말이냐?"

"네, 그런 줄로 아옵니다."

"그래, 어떻게 하면 화를 면할 수 있다는 말이냐?"

"그 전에 도련님의 상도 한번 보아야 길이 열리겠습니다."

그 말을 들은 홍 판서는 하인에게 길동을 불러오라고 시켰다. 길동은 방에서 글을 읽다가 대감 마님이 부르신다는 전갈을 받고, 무슨 꾸중이나 듣지 않을까 마음을 졸이며 하인을 따라 홍 판서 앞으로 왔다.

"대감 마님, 부르셨습니까?"

"그래, 거기 앉거라. 이 여인이 관상을 하도 잘 본다고 하여 너를 불렸다. 어디 한번 보이거라."

길동은 의아한 눈으로 여인을 쏘아보았다. 무슨 이유가 있을 것 같았다. 그렇지 않고서야 이따위 관상쟁이를 불러들일 이유가 없을 것이다. 아버지의 명령을 거역할 수 없어서 길동은 여인 앞에 앉았다. 마음 같아서는 당장 쫓아내고 싶었지만, 그럴 수도 없었다.

여인은 차마 길동의 얼굴을 쳐다볼 수가 없는지 힐끔힐끔 보다가는 눈을 피하였다. 길동의 눈빛이 무서웠기 때문이다.

"그래, 관상이 어떤가 말해 보아라."

홍 판서는 재촉을 하였다.

"대감 마님께 조용히 말씀드리고 싶습니다."

여인은 차마 길동 앞에서 말을 할 수가 없었다. 또 길동이 없는 편이 나을 것 같았다.

"그렇다면 너는 물러가 있거라."

길동은 인사를 드리고 물러나왔다. 그러나 마음 한편에는 뭔지 모를 불안한 느낌이 들었다.

'저 계집이 무슨 흉계를 꾸미고 있는 것이 분명하다! 아마도 곡산어미가 시킨 것이 분명하다.'

이렇게 생각한 길동은 요즘 곡산어미 초란의 태도가 수상했다고 생각하였다.

"그래, 말하거라."

홍 판서는 여인의 입에서 무슨 말이 나올지 걱정이 되었다.

"도련님의 상을 보니 천하의 영웅이고, 일대의 호걸입니다. 미간에 산천 정기가 영롱하여 바로 나랏님이 될 기상을 지녔습니다. 그러나 왕가에서 태어나지 못했기 때문에 큰일을 이루시지는 못하겠지만……."

하고는 말끝을 흐리고 더 이상 입을 열지 않았다.

"무슨 말이기에 그리 망설이느냐?"

"그러니 이 다음에 크시면 나라를 배반하는 큰일을 저질러 자칫하다가는 일가친척이 모두 멸망하는 멸문지화를 당하게 될지 모르는 일입니다. 정말 조심하셔야 합니다."

여인은 말을 마치고 길게 한숨을 내쉬었다.

"그러니까, 화근이 바로 그 아이에게 있다는 말이로구나!"

"네, 그러합니다."

"그래, 화를 모면할 수도 있다고 하였지?"

"글쎄올시다. 화근이 무엇인지 가르쳐 드렸으니, 그 다음은 대감 마님께서 알아서 처리하실 일입니다."

"음!"

홍 판서는 눈을 감고 묵묵히 생각에 잠겼다. 길동이 남달리 총명하다는 것은 홍 판서 자신이 가장 잘 알고 있다. 그러기에 그 재주를 아깝게 여기면서 그 아이가 서자인 것을 안타까워한 적이 한두 번이 아니었다.

뛰어난 재주를 가진 사람이 활동할 길이 막히면 어떻게 된다는 것쯤은 짐작하기 어렵지 않다. 그리고 보면 화근이 길동에게 있다는 말도 터무니없는 말 같지는 않았다.

'그렇지, 역적이 되기 쉬운 노릇이지. 그렇게 되면……'

홍 판서는 감았던 눈을 뜨고 어두운 낯으로 말하였다.

"네가 오늘 여기서 본 관상 이야기를 다른 사람에게 말했다가는 어떻게 된다는 것쯤은 알고 있겠지?"

"네, 명심하겠습니다. 그 점은 조금도 염려하지 마십시오."

여인은 돈을 두둑이 받아 가지고, 홍 판서 댁을 나왔다.

위기에 놓인 길동

이 날부터 홍 판서는 길동에게 산정(산속에 지은 정자)에 들어가 밖으로 나오지 말라는 엄명을 내렸다.

그리고는 남몰래 그의 거동을 살피기로 하였다. 이렇게 하는 이유는 첫째로, 길동이를 남의 눈에서 벗어나게 하려는 것이었고, 둘째는 불경 공부를 하게 하여 적당한 시기에 입산을 시키기 위해서였다.

산정에 갇혀 있는 길동은 더욱 서럽고 답답하였다. 그러니 책을 읽더라도 불경이나 공자, 맹자 같은 것은 읽기 싫었다. 그래서 길동은 읽으라는 불경은 안 읽고 병서와 천문 지리와 관련된 책만 읽었다. 홍 판서가 이 일을 모를 리가 없었다.

홍 판서의 근심은 갈수록 커졌다.

'이놈이 본디 재주가 있는 놈이니 저렇게 병서만 읽다가 딴마음이라도 품게 된다면…… 그렇게 되면 관상 보는 여자의 말대로 될 것이니 이 일을 장차 어찌하면 좋다는 말인가?'

홍 판서의 이런 마음을 재빠르게 눈치챈 초란은 위로하는 것처럼 말하였다.

"대감 마님, 너무 근심 마십시오. 화근을 미리 뽑아 버리면 줄기는 자라지 못하는 법입니다."

"그게 무슨 뜻이냐? 너도 관상가처럼 길동이를 내치라는 것은 아니겠지?"

"길동이를 애석하게 생각하지 마시고, 아주 없애는 것이 가장 좋은 방법인 것 같습니다."

초란은 눈썹 하나 까딱하지 않고 말하였다.

"뭐, 길동이를 없애라고? 괘씸한 것!"

홍 판서는 자리에서 벌떡 일어나며 초란을 쏘아보았다.

"그러나 화근을 뽑는 데는 그 길밖에 없는 줄 압니다."

초란은 여전히 당당하게 말하였다.

"입을 다물지 못하겠느냐! 하늘이 무섭지 않느냐? 다시 그런 소리를 하였다가는 그냥 두지 않을 것이다."

홍 판서는 목소리를 높여 꾸짖었다.

"그것도 다 대감 마님을 위하여 드리는 말씀입니다."

"듣기 싫다. 세상일이란 모두 운이 따르는 법이다. 어찌 조심한다고 사람의 힘으로 막을 수 있단 말이냐? 길동의 일은 내가 알아서 처리할 테니 너는 상관하지 말거라."

초란은 홍 판서가 길동을 두둔하는 것을 보자 더 악이 치올랐으나, 감히 더 이상 말을 하지 못하였다. 그리고는 큰마님을 설득하기로 작정하였다.

홍 판서는 그 날부터 길동의 일이 걱정이 되어 벼슬도 내놓고 자리에 누웠다. 홍 판서 부인과 맏아들 인형도 홍 판서의 병이 길동이 때문이라고 생각하였다.

"이 일을 어찌하면 좋겠느냐?"

"길동이 때문에 아버님이 병을 얻으신 것이라서 큰 걱정입니다."

두 모자가 홍 판서의 병을 걱정하고 있는데, 초란이가 들어왔다.

"마침 잘 왔네. 거기에 앉게. 그런데 대감은 좀 어떠신가?"

큰마님이 물었다.

"대감께서 병환이 심하신 것은 길동이 때문인지라, 제 생각으로는 서자 하나 없는 셈치고 아예 없애는 것이 좋은 줄 압니다. 그러면 대감 마님의 병환도 나으실 뿐만 아니라, 집안도 보존될 거라고 생각합니다."

초란은 아주 좋은 기회라 여기고 눈치를 살피며 말하였다.

"그렇지만 사람의 목숨은 소중한 것, 어떻게 해칠 수 있겠나!"

유씨 부인과 인형은 초란의 말을 듣고, 많이 놀라면서도 그렇게 할 수만 있다면 오죽 좋을까 생각하였다.

"소첩이 들으니 흥인문 밖에 특재라고 하는 자객이 있다고 합니다. 재주가 비상하여 사람 죽이기를 마치 파리 죽이듯 한다고 합니다. 한 번 불러 보시는 것이 어떻겠습니까?"

"그렇지만 대감 마님이 아시는 날이면……."

"그것은 염려 마십시오. 돈을 많이 주어 밤에 몰래 들어가 감쪽같이 죽이게 하면 대감 마님도 모르실 것입니다."

"그래도 그 일이 세상에 알려지기라도 한다면……."

"그렇다면 골짜기에 시체를 버리고 굴러떨어져 죽은 것으로 꾸미면 되지 않겠습니까?"

"그렇지만 어떻게 사람의 목숨을……."

"한 사람으로 인하여 온 집안이 망할 수는 없지 않습니까?"

유씨 부인과 인형은 묵묵히 있었다. 그러다가 유씨 부인이 눈물을 글썽이며 말하였다.

"차마 할 수 없는 일이나, 첫째는 나라를 위하는 것이고, 둘째는 대감을 위하는 것이고, 셋째는 집안을 보존하기 위한 것이니 자네 생각대로 하게."

초란은 자신의 생각대로 일이 되어 간다고 생각하며, 그 자리를 물러나왔다. 그리고 특재를 불러 자세한 이야기를 하며 지시를 내렸다.

밤의 격투

길동은 답답하고 원통한 마음에 한시도 집에 머물러 있고 싶지 않았으나, 아버지의 명령이 엄하니 어쩔 수 없이 그대로 집에서 하루하루를 보냈다. 그러므로 밤이면 잠을 이루지 못하고 군사에 관한 책을 읽으며 밤을 새울 수밖에 없었다.

이날 밤도 촛불을 밝혀 놓고 주역을 읽다가 문득 들으니 까마귀가 세 번을 울고 지나갔다.

이상한 생각이 든 길동은 혼잣말처럼 중얼거렸다.

"짐승은 본래 밤을 꺼리는 법인데, 지금 울고 가니 무슨 불길한 일이 일어날 것 같구나!"

길동은 팔괘를 벌려 점을 쳐 보았다. 그런데 과연 오늘 밤에 불길한 일이 일어날 거라는 점괘가 나왔다.

'음, 어떤 놈이 나를 해치려고 오는 모양이구나!'

크게 놀란 길동은 즉시 책을 거두고 둔갑법을 써서 몸을 숨기고 동정을 살피기로 하였다.

밤이 이슥해졌다. 자정이 넘었을까? 발소리가 났다. 발소리는 바로 문 앞에 와서 멈추었다. 그 사나이는 미닫이에 귀를 대고 방안의 기미를 살피는 것 같았다.

'음, 역시 나를 죽이러 온 놈이 틀림없다!'

길동은 그 괴한이 방으로 들어오기를 기다렸다. 한참 방 안의 기미를 살피던 괴한은 드디어 미닫이를 소리 없이 열었다. 희미한 달빛에 비치는 그 괴한은 키가 크고 험상궂게 생긴 것이 힘깨나 쓸 것 같았다. 길동은 주먹을 불끈 쥐고, 그 괴한의 거동을 바라보고 있었다. 여차하면 호랑이처럼 날쌔게 덤벼들어 단번에 때려눕힐 생각이었다.

괴한은 잠시 머뭇거리다가, 머리 위로 칼을 번쩍 들더니 이불에다 콱 찔렀다. 그와 동시에 방에 있던 길동이 번개같이 몸을 날려 괴한의 뒤통수를 쇳덩이 같은 주먹으로 후려갈겼다.

"억!"

괴한은 외마디 비명을 지르고, 그 자리에 나가떨어졌다.

길동은 이불에 박힌 칼을 날쌔게 뽑아들고, 괴한의 목덜미를 발로 짓누르면서 말하였다.

"이놈! 네놈은 누구이기에 나를 죽이려 하는 것이냐?"

그러나 괴한은 기절을 하였는지 아무 대답도 없었다.

길동은 얼른 촛불을 켰다. 촛불에 비친 그 괴한은 그야말로 기둥같이 장대한 사나이였다.

길동은 그의 머리를 들어 일으키며 말하였다.

"이놈아! 아닌 밤중에 여기는 무엇 하러 들어왔느냐? 말을 해 보거라."

괴한은 그제야 정신이 드는지 넓죽 엎드리며 말하였다.

"도련님, 소인이 죽을 죄를 지었습니다. 목숨만 살려 주십시오."

그는 벌벌 떨며 애원을 하였다.

"그래, 이놈! 너는 나와 무슨 원수를 졌기에 나를 해치려고 하느냐? 그 까닭을 말하여라!"

"네, 말씀드리겠습니다. 소인은 흥인문 밖에 사는 특재라는 놈인데, 초란 마님이 돈을 후하게 주시면서……."

특재는 벌벌 떨면서 말하였다.

"알았다. 내가 너의 목숨을 빼앗아야 마땅하다. 그러나 돈에 팔려 다니는 네 인생이 불쌍하여 목숨만은 살려 주겠다. 그러니 다시는 그런 짓 하지 말거라. 네 목숨이 아까운 줄도 알아야 할 것이다."

길동은 칼을 특재에게 던져 주었다.

특재는 가만히 생각해 보았다. 지금까지 특재는 남에게 져 본 적이 없었다. 그래서 자객 노릇을 그 동안 잘해 왔는데, 길동에게는 지고 만 것이다. 어처구니가 없었다. 이런 어린아이한테 진다는 것은 그에게 수치일 수밖에 없었다. 특재는 칼을 집어 들자마자 길동을 향하여 던졌다. 그러나 길동은 칼을 피하고, 특재의 칼 잡은 손을 쳐서 칼을 땅에 떨어뜨렸다.

"이놈! 네놈이 잘못을 모르고, 다시 덤벼드느냐?"

길동의 호령에 특재는 주춤하였으나, 그대로 있지는 않았다.

"내 손에 죽는 것을 슬퍼하지 말거라."

특재는 길동을 노리며 덤벼들었다. 그러나 길동은 나는 새와 같이 훌쩍 밖으로 나갔다. 특재는 방에 떨어진 칼을 집어 들고 밖으로 쫓아 나왔다.

"이놈! 어디로 도망가느냐?"

특재는 소리를 지르면서 길동을 쫓아갔다. 그러나 길동은 온데간데없었다. 특재는 어리둥절하여 사방을 둘러보았다. 하지만 길동의 모습은 보이지 않았다. 갑자기 세찬 바람이 일어나더니 집은 온데간데없고 특재가 서 있는 자리는 더 깊은 산중으로 변해 있었다.

특재는 깜짝 놀랐다.

'이게 대체 어떻게 된 일인가? 내가 귀신한테 홀렸단 말인가?'

길동이를 잔뜩 깔보고 있다가 이렇게 무섭고 괴상한 일을 당하니 부쩍 겁이 났다. 특재는 혼자 중얼거리며 산속을 헤맸다. 그러나 갈수록 산은 더 험해졌다. 이제는 어디로 가야 할지 방향도 알 수 없었다. 그러더니 갑자기 길이 뚝 끊어지고 무시무시한 절벽이 발 앞에 나타났다. 앞으로 갈 수도 없고 뒤로 물러설 수도 없었다. 마냥 허둥지둥댈 뿐이었다.

그런데 어디선지 옥퉁소 소리가 들렸다.

'아니, 이 깊은 산속에서 누가 피리를 불고 있을까?'

특재는 겨우 정신을 차리고 퉁소 소리가 나는 곳을 바라보았다. 그때 한 소년이 나귀를 타고 오며 퉁소를 불고 있었다. 그 목동은 불던 퉁소를 그치고 말하였다.

"네 이놈! 내가 너를 살려 보내려고 하였는데, 어찌하여 나를 다시 해치려고 하느냐?"

길동은 말을 마치고 축문을 외웠다. 그러자 이번에는 검은 구름이 뭉게뭉게 일어나며 큰비가 퍼붓듯이 오고 돌과 바람이 마구 날아다녔다.

특재가 정신을 차리고 보니, 그 목동은 다름 아닌 길동이었다.

'흠, 놈의 재주가 제법 신기하기는 하지만 연약한 어린아이에 불과하다. 천하장사인 내 힘을 제놈이 어찌 당할 것인가!'

이렇게 생각한 특재는 큰 소리로 말하였다.

"얘, 길동아. 가엾은 어린애이지만 너를 죽일 수밖에 없구나! 그러나 죽더라도 나를 원망하지는 말거라. 초란이 무당과 관상쟁이와 음모를 꾸미고, 이제 큰 마님과 의논하여 너를 죽이려 하는 것이니 염불이나 드려라."

특재는 칼을 휘두르며 길동에게 달려들었다.

길동은 더욱 화가 났다. 그는 즉시 도술을 부려 특재의 칼을 빼앗아 들었다.

"네 이놈! 작은 힘을 믿고 사람 죽이는 것을 즐기는 모양이니, 너같이 무도한 놈은 당장 죽여서 더 이상 무고한 사람들을 해치지 못하게 해야겠다."

길동이 한번 칼을 번쩍 드니 특재의 머리는 땅바닥에 떨어져 굴렀다.

그래도 길동은 분이 풀리지 않았다. 그 길로 달려가서 무당과 관상 보는 여인을 잡아다 특재가 죽어 쓰러져 있는 방에 집어 처넣고 소리소리 질렀다.

"너희는 도대체 나와 무슨 원수를 지었기에 초란과 함께 나를 죽이려 하였느냐? 너희같이 심보가 못된 인간들은 저놈과 마찬가지로 죽여 없애야 해!"

다시 한 번 칼이 번득 하더니 무당과 관상 보는 여인의 목이 한꺼번에 떨어졌다.

세 사람을 없애고 나니 이제 남은 것은 초란이 하나였다.

'그렇다! 그녀도 마저 죽여 버리자.'

이렇게 생각하다가,

'아무리 나를 죽이려고 한 고약한 인간일지라도 아버지가 사랑하는 여자를 죽일 수는 없다!'

하고는 칼을 던져 버렸다.

나그네의 길

길동은 사람을 셋이나 죽였다. 이 곳에 더 이상 머물러 있을 수는 없는 일이었다. 어디론지 멀리 떠나야겠다고 생각하였다.

길동은 방을 나섰다. 밤하늘을 바라보니 날이 밝으려 하고 있었다. 은하수는 서쪽으로 기울고, 달빛은 희미한데다 북풍은 아주 차갑게 불었다.

길동은 어머니를 찾아 뵈었다.

"아니, 네가 이렇게 일찍 웬일이냐?"

어머니는 반갑게 길동을 맞았다.

"어머님께 드릴 말씀이 있습니다."

"갑자기 와서 할 말이 있다니? 그래, 어서 말해 보거라."

이머니는 의아한 표정으로 길동을 바라보았다. 길동은 간밤에 있었던 이야기를 모두 말씀드렸다.

"어머니! 사정이 이러하니 저는 얼마 동안이라도 집을 떠나 있을까 합니다."

"집을 나가다니, 어린 네가 집을 나가면 어디로 간단 말이냐? 안 된 다."

"저도 어머니 곁을 떠나기가 몹시 괴롭습니다. 그러나 뭇사람들의 미움을 받고 살아가는 것은 바늘방석에 앉은 듯이 괴롭습니다. 그러니 너그러이 생각하시어 저를 제 마음대로 살아가도록, 쾌히 승낙해 주십시오."

길동은 눈물을 흘리며 호소하였다.

어머니는 아무 말 없이 생각에 잠겼다. 어머니로서는 무엇과도 바꿀 수 없는 외아들 길동이었다. 눈에 넣어도 아프지 않은 사랑스러운 아들이었다. 생김새라도 못생기고 재주가 없다면 모르거니와, 인품이 의젓하고 재주가 비상한 길동이가 서자로 태어나 당치도 않은 수모를 당하는 것을 생각하면, 뼈가 시리도록 마음이 아팠다.

어머니는 한동안 생각에 잠겨 있다가 말하였다.

"오냐! 네 소원이 정 그렇다면 내가 어찌 막을 수 있겠느냐! 그러나 어디를 가든지 바르게 살아야 한다는 사실을 명심하거라."

"네, 명심하겠습니다."

"그리고 어느 때나 마음의 수양을 잊지 말아라. 목숨을 아끼되 불의 앞에서는 목숨을 가볍게 여겨야 한다."

"네, 잘 알겠습니다."

"아버님은 뵈었느냐?"

"아직 못 뵈었습니다."

"그럼, 아버님을 뵙고 떠나도록 하거라."

"그렇게 하겠습니다."

어머니는 길동을 내보내고 혼자 울었다. 하나밖에 없는 귀한 아들을 홀로 떠나 보내야 한다고 생각하니, 하늘이 무너지는 것 같았다.

그날 밤, 길동은 아버지를 찾아갔다.

그 때까지 잠을 이루지 못하고 있던 홍 판서가 문득 발소리를 들었다. 홍 판서는 창문을 열어젖혔다. 길동이가 와 있었다.

"길동이냐? 이토록 밤이 깊었는데 자지 않고 어쩐 일로 여기에 왔느냐?"

홍 판서는 꾸짖듯 말하였지만, 염려가 되었다.

길동은 아버지 발 아래 엎드려 눈물 어린 소리로 말하였다.

"일찍이 아버님, 어머님의 깊으신 은혜를 잊은 적이 없습니다. 그런데 저를 미워하는 사람들이 있어서 대감께 거짓을 고하고 저를 죽이려고 합니다. 겨우 목숨을 건졌지만, 앞으로 대감 마님을 모실 길이 없어 오늘 하직 인사를 드리러 왔습니다."

이 말을 듣고 홍 판서는 크게 놀라 말하였다.

"무슨 일이 있었기에 너같이 어린아이가 집을 버리고 나가겠다는 말이냐?"

"날이 밝으면 자연히 아시게 될 것입니다. 대감 마님께서 버리신 이 자식의 신세는 뜬구름과 같으니 차라리 이렇게 떠나는 편이 나을지도 모릅니다."

말을 마친 길동은 그만 소리를 내어 울었다. 길동은 자기가 당한 일을 이야기하였다.

"음, 그랬구나! 고얀 것들."

홍 판서는 치를 떨었다. 어쩐지 좀 수상하다고 생각하기는 하였지만, 설마 그럴 줄은 미처 생각하지 못하였다. 그러므로 홍 판서의 노여움은 더욱 컸다.

"그렇지만, 소자만 집에서 나간다면 다시는 그런 일이 생기지 않을 것입니다. 너그럽게 용서해 주십시오."

"너를 해치려던 자들을 용서하라고?"

"좁은 소견으로 그랬을 것이니, 뉘우칠 것입니다."

"내가 너를 잘 안다. 큰 고기는 바다에서 살아야 한다. 넓은 세상으로 나가거라. 말리지 않겠다."

"허락해 주시는 겁니까?"

"그러나 길동아! 너는 지금 나라 형편이 어떤 줄 알고 있느냐?"

"잘은 모르나, 대강 짐작은 합니다."

"음, 지금 상감께서 어두운 정치를 하시기 때문에, 조정에는 간신배가 날뛰고, 백성의 생활은 도탄에 빠져 있다. 그래도 국정을 바로잡을 만한 인재가 없어서 큰 한이로다."

늙은 충신 홍 판서는 힘을 주어 말하였다.

당시 임금은 자신의 세력을 키우기 위해 온갖 짓을 다 하였다. 그는 계모의 아들을 죽이고 형과 아우를 죽였다. 나중에는 계모를 내쫓아 버리고, 허무맹랑한 지관들의 말에 따라 아버지의 능을 파 다른 곳으로 옮겨 묻기도 하였다. 이러한 어지러운 정치를 하는 임금 아래에는 으레 못된 신하들이 들끓는 법이었다. 결국 고통을 받는 사람들은 백성들뿐이었다.

길동은 이런 일을 잘 알고 있었다.

"나라 형편이 그러하니, 너는 집을 나가더라도 그 점을 잊지 말아라.

너도 대강 짐작은 하겠지만, 우리 집안은 선조 대대로 충신의 집안으로 유명하다."

"그 점은 소자도 잘 알고 있습니다."

"그러니 너도 집안을 욕되게 하여서는 안 된다."

"네, 명심하겠습니다."

"나라에는 일할 만한 사람이 없어서 큰일이다. 그러니 너는 부디 큰 사람이 되어 나라를 바로 세워야 한다."

"황송한 말씀입니다."

길동은 머리를 조아렸다.

"네가 떠나면 나중에 말썽이 있겠지만, 나랏일을 생각하면 그런 것은 문제가 아니다."

"소자 때문에 집안에 걱정을 끼쳐 드려 죄송합니다."

길동은 다시 머리를 숙였다. 어진 아버지, 나라를 걱정하시는 충신 아버지. 그 아버지를 더 섬기지 못하는 것이 길동으로서는 마음이 아팠다.

"아니다! 그건 네 잘못이 아니다. 내가 사람을 잘못 본 탓이다."

홍 판서는 진심으로 사과를 하였다.

"아닙니다. 모두 소자의 잘못으로 일어난 일입니다."

"무슨 부탁할 말은 없느냐?"

"죄송하오나, 소자가 대감 마님을 아버지라고 부르게 한번만 허락하여 주십시오. 일생의 소원입니다."

"허허, 네가 품은 한이 그토록 큰 줄은 몰랐다. 네가 천한 몸에서 태어났다 하여 조그만 체면을 지키려고 오늘날까지 너를 버려 왔던 것 같구나. 지금부터는 아비를 아비라고 부르고, 형을 형이라고 부르도록 하여라."

길동의 눈에서는 눈물이 솟았다.

"제가 가장 한으로 여겼던 일이 이것이었는데, 이제 아버님께서 그
소원을 풀어 주시니 죽어도 한이 없습니다."

말을 하며 길동은 홍 판서에게 달려들어 가슴에 얼굴을 파묻었다.

"아버님, 아버님!"

길동은 떨리는 목소리로 어린아이같이 아버지를 불렀다. 소원이 이루
어진 감격으로 눈에서는 눈물이 줄줄 흘러내렸다. 길동은 홍 판서의 품
에 안겨 그저 울기만 하였다.

"오오! 내 아들아! 너는 부디 온 백성이 우러러보는 큰 인물이 되거
라."

"아버지, 아버지!"

'아버지!' 얼마나 부르고 싶었던 이름이었나. 길동은 다른 말이 필요
없었다. 그저 아버지라 부르는 것만으로 만족하였다.

홍 판서는 길동이가 몹시 측은하였다.

"음, 과연 내 아들이로다! 이제 눈물을 거두거라."

"아버님, 이 곳에 머물 수 없어서 떠나는 저를 용서하십시오. 부디 만수무강하십시오. 이제 저는 떠나겠습니다."

"그래, 어디를 가든 몸조심하여라. 네 몸은 너 하나의 몸이 아니라는 것을 명심하여라."

"잘 알겠습니다."

길동은 하직 인사를 드리고 물러나왔다.

이튿날 아침 일찍 길동은 길을 떠났다.

초란의 죽음

한편 초란은 초조한 마음으로 특재를 기다리고 있었다.

그러나 아무리 기다려도 소식이 없었다.

'무슨 일일까? 무슨 변이라도 생긴 것일까……'

초란은 사람을 시켜 급히 알아보게 하였다. 얼마 후, 그 사람이 돌아왔다. 그가 보고하기를 길동은 간 데 없고 특재와 두 계집의 시체만이 방안에 나동그라져 있다고 하였다.

초란은 그만 기가 막혔다. 한동안 어찌할 바를 몰라 허둥대다가 하는 수 없이 유씨 부인에게로 달려갔다.

"큰일났습니다. 길동이란 놈은 간 데 없고 특재와 무당, 그리고 관상쟁이가 죽어 있다고 하더군요."

유씨 부인 역시 매우 놀랐다. 급히 아들 인형을 불러 이 일을 알렸다. 그러나 세 사람이 모여 앉아도 좋은 수는 생기지 않았다. 하는 수 없이 대감에게 길동이가 사람을 죽였다는 사실을 고할 뿐이었다.

홍 판서는 깜짝 놀라며 말하였다.

"어젯밤에 길동이가 찾아와서 슬프게 하직 인사를 고하더니, 이런 일까지 있었구나!"

인형은 초란의 흉계로 이루어진 이 사건을 하나하나 털어놓았다.

홍 판서는 분노하였다. 벽력같은 호통이 그의 입에서 터져 나왔다.

"고약한 계집 같으니! 내 이년을 당장에 죽여 없애야 하지만, 그래도 한 집안 사람이라고 길동이도 참고 죽이지 않은 모양이니 목숨만은 붙여 두겠다. 당장 짐을 꾸려 이 집을 나가거라!"

그런 다음 홍 판서는 하인들에게 남 몰래 시체를 없애라고 하였다. 그리고 이 일을 입 밖에 내지 말라고 엄명을 내렸다.

금강산 가는 길

가을 하늘은 푸르고, 여기저기 들국화가 예쁘게 피어 있었다. 집을 나온 길동은 산 위에 서서 한양을 내려다보고 있었다.

'16년 동안 나를 키워 준 고향이여, 잘 있거라!'

길동은 감개가 무량하였다. 그리고 저 한양에서 온갖 나쁜 짓이 벌어지고 있다고 생각하니, 한양을 벗어나는 것이 얼마나 속시원한 일인지 몰랐다.

길동은 다시 걷기 시작하였다. 어디서 오라는 곳도 없었다. 그래도 자기는 가야만 하는 몸이었다.

'이젠 나 혼자뿐이다.'

이렇게 생각하니 쓸쓸해졌다. 이렇게 집에서 먼 곳까지 걸어 본 적이 없이 곱게 자라온 길동이었다. 이제부터 얼마나 멀고 험한 길을 가야 할지 모른다. 그러나 가야 할 길이고, 걸어야 할 길이었다.

길동은 금강산을 향하여 걸었다.

'금강산!'

한 번도 가 보지 못한 금강산이지만, 금강산에는 이름 높은 도사가 있다는 말을 오래 전부터 듣고 있었다. 그래서 그 도사에게 여러 가지 공부를 배우고자 결심하고 가는 길이었다.

금강산은 600리 밖에 있다.

'천천히 걸어가도 열흘만 가면 도착할 수 있겠지.'

길동은 이런 생각을 하면서 천천히 발걸음을 떼었다.

산을 넘으니 이제 서울이 보이지 않았다.

길동은 길을 떠날 때, 남의 눈을 속이기 위하여 시골 농사꾼처럼 꾸미고, 머리에는 초립을 쓰고 있었다. 더구나 짐이라곤 아무것도 없었다. 가뿐한 몸으로 아무 마을이나 다니는 것처럼 보였다.

걷다가 다리가 아프면 아무 데서나 쉬었다. 쉬다가는 걷고, 걷다가 쉬고 하는 사이에 어느덧 해가 저물었다.

길동은 아무 주막이나 들어가서 쉬기로 하였다. 주막에 들어가 발을 벗고 보니, 발이 온통 부르텄다. 발뿐 아니라, 온몸이 피곤해 견딜 수가 없었다.

곱게 자라 많이 걸어 본 적이 없으니 그럴 수밖에 없었다. 남의 집에서 자 보기도 처음이었다.

밥상이 들어왔다. 손님을 치르는 집이라 반찬은 몇 가지 놓여 있으나 달걀찜과 붕어조림 말고는 모두 나물뿐이었다. 이런 것도 처음 먹어 보는 음식이었다.

그러나 길동은 배가 고픈 참이라서 아주 맛있게 먹고는 상을 물렸다.

길동은 자리에 누웠다. 피곤해서 금방 잠이 올 것 같았는데, 도무지 잠이 오지 않았다. 무엇보다도 혼자 계신 어머니 생각이 간절하였다.

'지금쯤 어머니도 주무시고 계시겠지. 그렇지 않으면 이 아들 생각 하느라고 못 주무시고 계실 거야!'

어머니의 얼굴이 눈에 선하였다. 집을 떠나올 때, 다시 한 번 품에 안아 보자고 꼭 끌어안고 우시던 어진 어머니!

길동의 눈에 눈물이 고였다.

이튿날 아침, 길동은 일찍 일어나 길을 떠났다. 날씨는 좀 쌀쌀했지만, 걷기에는 알맞았다. 하늘은 푸르고 산에서는 산새가 울었다. 아름다운 아침 풍경이었다. 한결 마음이 맑아졌다.

그 때 마침 목동이 소를 타고 지나갔다.

"금강산을 가려면 어디로 가야 하오?"

"금강산 가는 길이 따로 있소? 아무 데로나 가면 되지."

"아무 데로 가도 괜찮겠지만, 처음 가는 길이라 몰라서 그러오."

"금강산에는 무엇 하러 가오? 농사꾼이 바쁠 텐데."

"공부하러 가는 길이오."

"뭐요? 공부!"

"그렇소."

"공부는 선비들이나 하는 것이지, 농사꾼이 무슨 공부란 말이오?"

"왜, 농사꾼은 공부하면 못 쓰나요?"

"못 쓸 거야 없지만, 공부를 하려면 서울로 갈 것이지, 왜 하필이면 금강산으로 간단 말이오? 중이라도 되려고 그러는 거요?"

"중이 되면 나쁘오?"

"나쁠 거야 없지만, 요새는 엉큼한 중이 하도 많다고 하기에……."

"그야, 어디 중뿐이오? 하도 세상이 어지러우니……."

"그 말은 맞소. 며칠 전에도 이 산 너머 마을에 도둑이 들었다오."

"그야, 먹고 살 수 없으니 도둑질이라도 하겠지요."

"도둑도 이만저만한 도둑이 아니래요. 몇 명씩 떼를 지어 다니며 길 가는 사람의 보따리를 턴데요. 당신도 조심하시오. 저 산은 아주 험한데 산적이 숨어 있소. 그런데 금강산을 가려면 저 산을 넘어야 하오. 무섭지 않소?"

길동은 목동이 상냥하게 이야기하는 것이 좋았다. 그렇지 않아도 동행이 없어서 심심했는데, 목동과 이야기하며 걸으니 발도 아프지 않은 것 같았다.

"무서우면 혼자 다니겠소? 이래봬도 기운깨나 쓴다오."

"그럼, 나하고 내기 하나 할까요?"

목동이 물었다.

"무슨 내기를?"

"내기하기 전에 우리 여기서 인사나 하고 말을 놓읍시다. 어쩐지 아이들끼리 공대를 하니 거북스러워서……."

"좋을 대로 하자. 그래, 너는 어디 사는 누구니?"

길동이 털썩 주저앉으며 먼저 물었다.

"나는 달래골에 사는 마숙이야!"

"마숙? 마숙이라면 말의 삼촌이잖아."

"놀리지 마라. 그래, 너는 어디 사는 누구니?"

"나는 서울 사는 홍길동이야."

"뭐, 서울?"

목동은 눈이 둥그레지면서 되물었다.

"왜 그렇게 놀라니?"

"거짓말 말아라. 서울에서 산다면 무엇 하러 금강산으로 공부를 하러 가냐?"

목동은 이상하다는 듯이 물었다.

"그럴 만한 사정이 있단다."

"정말 네가 서울에 산다면, 양반들 구경해 보았겠구나."

"그럼, 구경하고말고……."

"그래, 양반들은 어떻게 생겼니?"

"어떻게 생기긴. 눈이 둘이고 입이 하나고 코가 하나지."

"그럼, 우리와 똑같은 사람들이네."

"물론 똑같은 사람이지."

"그래도 사람들은 그 양반들 등쌀에 못 살겠다고 야단들이던데."

"그렇단다. 그러니 그 양반들의 코를 납작하게 만들어야 한다."

"그래서 너는 공부를 하러 가는구나!"

"그럴지도 모르지. 정말 그놈들 등쌀에 못 사는 건 백성뿐이지. 하루 빨리 세상을 바로잡아야 해."

"너는 말도 잘하는구나! 역시 서울 사람은 달라."

"그거야 보고 듣는 게 좀 다르기 때문이겠지. 그렇지만 우린 다 같은 사람이야. 사람 대접을 받고 살아야 해!"

"그렇지만 누가 농사꾼을 알아주겠니?"

"누가 알아주기를 기다리겠니? 알아주도록 만들어야지."

"그걸 무슨 수로 만들어?"

"이제 두고 봐라. 꼭 그런 세상이 오고야 말 것이야!"

"그렇게 되면 오죽 좋겠니? 그 때가 되면 나도 서울 구경이나 한번 가 봐야지."

"그래 꼭 와! 내가 너를 반가이 맞아 줄게."

"그렇지만 서울 어디로 가서 너를 찾니?"

"북촌에 사는 홍 판서 댁을 찾으면 된다."

"뭐, 홍 판서?"

목동은 깜짝 놀라며 되물었다.

"그래, 내가 홍 판서의 둘째 아들이야."

"그게 정말이니?"

"그럼. 내가 왜 거짓말을 하겠니?"

"아이구, 잘못했습니다. 도련님을 몰라보고 함부로 지껄였습니다. 한 번만 용서해 주십시오."

"하하하! 갑자기 왜 그러니? 나 같은 양반은 무섭지 않아. 어서 아까 같이 반말로 이야기하자."

"아닙니다. 도련님을 몰라보고, 죽을 죄를 지었습니다. 용서해 주십시오."

"글쎄, 그러지 말라니까. 내가 아까 양반도 다 마찬가지라고 했잖아. 자, 이만큼 쉬었으니, 우리 어서 내기를 하자."

"정말, 도련님은 보통 도련님이 아니셔. 아까부터 좀 다르다고 생각은 하였지만……."

"그래, 다르니까 이렇게 집을 뛰쳐나왔겠지!"

"집을 뛰쳐나오다니? 무슨 죄라도 졌어요?"

"죄라면 첩의 자식으로 태어난 게 죄겠지!"

"그게 무슨 죄예요? 양반집은 으레 그렇다면서요?"

"그게 틀렸단 말이다. 첩의 몸에서 태어난 아이들이 얼마나 설움을 받는지 너는 모를 거다."

"그래도 양반집 아들 아니에요? 난 그런 데서 한번 태어나 살아 봤으면 원이 없을 것 같아요."

"난 오히려 네가 부럽다. 시골에서 농사나 짓고 살면 얼마나 마음이 편하겠니?"

"그건 그렇지 않아요. 요새는 관가에서 하도 뜯어가는 게 많아서 살 수가 없어요. 갈수록 도둑만 늘어나고 있다니까요."

"음, 그것도 그렇겠다."

"도련님이 살기 좋은 세상을 만드세요."

"어디 그게 나 혼자 힘으로 되겠니? 우리 백성들이 한몸이 되어 싸워 만들어야지."

"좋은 세상 만든다는데 누가 싫다고 하겠어요. 그 땐 나도 끼겠어요."

"네가?"

"이래 봬도 나도 힘깨나 쓴다고요."

"그럼, 우리 힘 내기 한번 해 볼까?"

"하하하! 도련님이 무슨 힘이 있다고 그러세요. 이래 봬도 나는 벼 한 섬은 거뜬히 드는데."

"누군 그걸 못 드는 줄 아니?"

"정말이세요? 그럼, 우리 저 바위를 들어 볼까요?"

"그러자."

마숙과 길동은 바위 옆으로 갔다.

"자, 어때요?"

마숙은 바위를 번쩍 들었다가 쾅 하고 내려놓았다.

"정말 힘이 세구나! 그럼 나도 들어 봐야지."

"그만두세요. 그게 얼마나 무겁다고요. 도련님이 그걸 어떻게 들어요? 그러다가 팔이라도 다치면 금강산에 어떻게 가시려고 그래요?"

"사나이 대장부가 요만한 것도 못 들면 어디 사나이라고 할 수 있겠니?"

길동은 마숙이 내려놓은 바위를 번쩍 들어 보였다.

"아니, 도련님은 정말 장사시네!"

마숙은 입을 쩍 벌리고 감탄하였다.

"하하하! 네가 드는데, 내가 못 들 줄 알았니?"

"그렇지만 저는 농사꾼이고 도련님은 양반인데, 양반 집 도련님한테 어떻게 그런 힘이 있어요?"

"글쎄, 양반은 양반인데 좀 다르다고 하지 않았니?"

"정말이야, 정말 다르시네요. 난 겨우 끙끙거리고 들어올렸는데, 도련님은 거뜬하게 올렸으니 제가 졌어요."

"네 힘도 보통이 아니다. 그만하면 한몫 하겠구나."

"정말요?"

"그럼!"

"도련님 하시는 일에 저도 한몫 끼워 주세요. 무엇이든지 할게요."

"그러마. 달래골에 사는 마숙이라고 했지?"

"네, 달래골은 저쪽이에요. 잘 봐 두세요."

"그래, 너를 꼭 부르마!"

"그런데, 도련님!"

"왜?"

"도련님은 재주도 있고, 글공부도 많이 하셨을 텐데, 무엇 하러 금강산에를 가시나요?"

"마음 공부를 하러 간다. 마음부터 잘 닦아야 그 재주와 글공부를 좋은 곳에 쓸 수 있단다."

"네에, 그래서 양반들이 나쁜 짓을 많이 하는군요."

"그렇지. 그러니 너도 마음 공부를 하거라."

"저는 배운 건 없지만 나쁜 짓은 하지 않아요."

"그래야지. 그게 훌륭하게 사는 것이다. 모르는 건 배우면 알게 되지만, 알면서 나쁜 짓을 하는 것은 도둑과 마찬가지이다."

"네, 잘 알았습니다. 저도 열심히 배우겠어요."

"그래라. 그럼 슬슬 가 볼까?"

"그런데 금강산에 가셨다가 언제 오시나요?"

"가 봐야 알겠다."

"도련님, 저를 꼭 기억해 주십시오."

"그래, 돌아올 때는 너에게 꼭 들르마."

"약속하셨어요. 그냥 가시면 안 돼요."

"알겠다."

길동은 마숙과 헤어져 다시 걷기 시작하였다.

청룡의 계시

마숙이 가르쳐 준 길로 해서 길동은 산을 넘었다. 아주 험한 산이었다. 길동은 단단한 나무로 지팡이를 만들어 풀숲을 헤치며 걸었다. 대낮인데도 산 속은 어두웠다. 사람의 그림자는 찾아볼 수 없고, 새 소리만 들렸다. 이따금 짐승 우는 소리도 들렸다. 길은 하나밖에 없었다. 보통 사람 같으면 혼자서는 도저히 갈 수 없는 침침한 길이었다. 그러나 길동은 태연하게 걸어갔다.

그 때였다. 숲 속에서 불쑥 험상궂은 사나이 셋이 나왔다. 길동은 순간적으로 산적이 나타났다고 생각하였다. 그래도 모르는 척하고 걸었다.

"이봐!"

그들은 뒤따라오며 소리를 쳤다. 그래도 길동은 뒤도 안 돌아보고 걸었다. 그랬더니 그 사나이 중 하나가 앞으로 와서 길을 가로막으며 말하였다.

"이 촌놈아, 어른이 부르는데 대답도 안 하고 어디로 가는 거냐?"

"왜, 남의 길 가는 것을 방해하시오? 저리 비키시오. 나는 이야기를 주고받을 시간이 없소."

길동은 그 사나이를 옆으로 밀었다.

"야, 요놈 보게. 그래 네 눈엔 우리가 누구로 보이느냐?"

그들 중 이마에 칼자국이 난 사나이가 말하였다.

"왜들 그러시오. 괜히 길 가는 사람을 붙들고……."

"이놈아, 길을 가려거든 통행세를 내고 가야지!"

"통행세라니요?"

"이 길은 우리가 맡고 있는 길이니까, 이 길을 지나가려면 세금을 내야 할 게 아냐?"

"그 세금은 나라에서 받는 건가요?"

"어디서 받든 네가 무슨 상관이냐? 아무 데서나 받든 돈을 내는 것이야 마찬가지지."

"아무 데서나 받든 마찬가지라뇨? 그럼 당신들은 산사람들이군요?"

"하하하! 이제 눈치를 챈 모양이구나."

"그러나 나는 가진 게 아무것도 없으니 그대로 보내 주시오."

"이놈 보게. 뻔뻔스럽게 그냥 보내 달라고? 길 가는 데 돈 없이 가는 사람이 어디 있느냐?"

"난 가난뱅이라 아무것도 없소."

"있고 없고는 우리가 봐야 알지."

산적은 길동에게 덤벼들어 몸을 뒤지려고 하였다.

길동은 손을 뿌리치며 말하였다.

"왜 이러는 거냐?"

길동은 저만큼 달아났다.

"이놈 봐라, 아예 앙탈을 하는구나!"

산적들은 뒤쫓아와서 길동의 팔을 하나씩 붙잡고, 나머지 한 놈이 몸을 뒤지려고 하였다. 몸에는 어머니가 주신 노자와 칼이 들어 있었다.

길동은 그네를 뛰는 것처럼 매달려서 앞의 놈을 발로 세게 내질렀다. 그러자 앞에 있던 자가 어이쿠! 하며 벌렁 뒤로 나가떨어졌다. 길동은 재빨리 나머지 둘의 손을 꼬아 단단히 붙잡고 말하였다.

"이놈들, 이래도 덤빌 테냐?"

"아이구, 아이구! 한번만 살려 주십시오."

두 놈은 팔이 몹시 아픈지 비명을 질렀다. 그러자 앞에 고꾸라져 있던 놈이 칼을 들고 쏜살같이 덤벼들었다. 길동은 두 놈의 궁둥이를 무릎으로 쿡 밀어 앞으로 내보냈다. 그 바람에 자기네 패끼리 부딪쳐 넘어졌다.

"이 쥐새끼 같은 놈, 우리가 누군 줄 알고 까부느냐? 어디 우리 손에 죽어 보아라."

"이 산적 놈들아! 털려면 큼직한 것을 털지, 왜 하필이면 길 가는 사람들의 보따리를 터느냐?"

"이놈이 지금 누구에게 호령을 하느냐!"

산적들은 칼을 빼들고 일제히 덤벼들었다. 길동은 짚고 오던 지팡이로 맞섰다.

"그래, 이놈들! 이 몽둥이 맛을 보려느냐?"

길동이 호령을 하자, 그 중 하나가 말하였다.

"흥, 그런 걸 무서워했다가는 산적 노릇 해 먹겠느냐?"

그들은 앞과 뒤, 그리고 옆에서 덤벼들 기회를 노리고 있었다. 그러다가 한 놈이 뒤에서 덤벼들었다. 그러자 길동은 몸을 피하는 동시에 지팡이로 그놈의 머리를 딱 때렸다.

"아이쿠!"

그놈은 머리를 두 손으로 움켜쥐고 그 자리에 고꾸라졌다. 길동은 재빨리 쫓아가서 그놈의 등을 발로 밟고,

"이래도 계속 덤빌 테냐? 네놈을 아예 박살을 내고 말 테다."

하고 호령을 하였다.

"제발 목숨만 살려 주십시오. 사람을 못 알아보았습니다."

밑에 깔린 놈이 죽는 시늉을 하며 애걸하였다. 나머지 두 놈은 감히 덤벼 보지도 못하고, 칼을 앞으로 내민 채 눈만 부릅뜨고 있었다.

"이놈들, 썩 물러가지 못할까! 그렇지 않으면 네놈들마저 묵사발을 만들어 놓을 테다."

길동은 이렇게 말하고 앞의 놈을 쫓아갔다. 그놈은 비실비실 뒤로 물러나며,

"어디 두고 보자!"

하며 숲 속으로 들어가 버렸다.

"하하하! 못난 것들. 그까짓 솜씨를 가지고 산적 노릇을 하겠다고?"

길동은 한바탕 웃고 나서, 또 다른 놈을 쫓아갔다. 그놈도 길동의 위세에 기가 꺾였는지 그대로 달아나고 말았다.

"비겁한 놈들! 내 가는 길만 더디게 만들었구나!"

길동은 달아나는 놈을 내버려두고, 다시 길을 걷기 시작하였다.

얼마를 걸었는지 모른다. 금강산에 가까워지자, 산이 부쩍 높아지고 골이 깊으며 나무들이 점점 울창해졌다. 여기서부터는 사람 사는 집이 없어서 산에서 자는 수밖에 없었다.

길동은 이리저리 잠잘 곳을 찾아 헤맸다. 그러다가 마침 석굴 하나를 발견하였다. 아주 큰 굴이었다. 길동은 그 굴을 살펴본 다음, 안으로 들어가 보았다. 굴은 상당히 깊었다.

'잠자리치고는 최고인걸!'

길동은 밖으로 나가 가랑잎을 긁어모아 가지고 들어와 잠자리를 만들었다. 그리고 벌렁 누워 보았다. 아주 편안하였다. 그러나 자리에 누워도 잠이 오지 않았다.

아까 만났던 산적들의 얼굴이 떠올랐다. 얼굴에 칼자국이 난 험상궂은 사나이의 얼굴은 흉측하였다.

산짐승 소리가 끊이지 않고 들려왔다.

'혹시 이 굴이 짐승의 굴이 아닐까?'

그런 생각을 하면서도, 담이 큰 길동은 태연하게 누워 있었다. 얼마가 지났는지는 모르지만 희미하게 잠이 들었던 것 같았다. 백발이 성성하고 풍채가 좋은 노인이 길동 앞에 나타났다.

"길동아, 고생이 심하구나!"

노인이 인자한 목소리로 말하였다.

"할아버지는 누구십니까?"

길동은 뜻밖에 찾아온 노인을 의아한 눈으로 바라보면서 물었다.

"나는 너의 집 뒤뜰 연못에 사는 청룡이다."

"네? 저의 집 뒤뜰 연못에 사는 청룡이라고요?"

길동은 놀란 얼굴로 물었다.

"그래, 나는 너의 선조 때부터 거기에서 살았단다."

"저의 선조 때부터라고요?"

"그렇단다. 한 천 년 가까이 될 거다. 그 동안 나는 너의 집안을 지켜 주었다."

"저의 집안을 지켜 주셨다고요?"

"그렇단다. 너는 모르겠지만, 너를 낳게 해 준 것도 바로 나다."

"아니, 그럼 저는 청룡 노인께서 점지해 주신 아이라는 말씀입니까?"

"그렇지."

"그렇다면, 왜 하필 서자로 태어나게 하셨습니까? 적자로 태어나게 하시지 않은 까닭이 무엇입니까?"

"그것은 다 뜻이 있어서 그렇게 한 거란다. 약자는 약자를 돕게 마련이니, 너를 보내어 어지러운 세상을 구하려는 뜻이었느니라."

"제가 어지러운 세상을 구할 능력이 있습니까?"

"수양을 쌓아라. 그리고 약한 자를 도와주거라."

"꼭 그렇게 하겠습니다."

"그리고 어려운 일이 있으면 이 청룡을 불러라. 그러면 언제든지 도와주러 오마."

"고맙습니다. 이 몸을 그처럼 아껴 주시니, 반드시 큰사람이 되도록 노력하겠습니다."

"네 앞에는 아직 어려운 일이 많이 기다리고 있다. 참고 견디어 이겨 나가야 한다."

"명심하겠습니다."

"날이 밝는 대로 무학 도사를 찾아가거라. 그러면 너를 인도해 주실 것이다."

"무학 도사는 어디 계십니까?"

"그건 네가 직접 찾도록 하여라. 무슨 일이든 힘들여 손수 얻어야 한다."

"네. 여러 가지 일러 주셔서 감사합니다."

"그럼, 몸조심하여라."

"네. 끝까지 이 몸을 돌봐 주십시오."

길동은 머리 숙여 인사를 하였다. 노인은 이미 사라지고 없었다. 그와 동시에 길동도 잠에서 깨어났다.

"참, 이상한 꿈을 꾸었군!"

길동은 눈을 껌벅이며 중얼거렸다. 날이 밝아오는지 동굴 문이 밝아졌다.

'참, 이상한 꿈도 있구나!'

길동은 자신이 청룡이라고 한 노인을 생각해 보았다. 아주 인자한 노인이었다.

아직까지 그렇게 거룩해 보이는 사람은 본 적이 없었다. 노인의 말대로, 그 노인은 길동의 집안을 지켜 주는 청룡인지도 모른다. 어쩌면 청룡이 아니라, 신인지도 모른다.

그 노인은 길동을 일부러 천한 하녀의 몸에서 나오게 했다고 하였다. 그것은 약자를 도와 좋은 일을 하도록 하기 위해서라고 하였다. 또 어지러운 세상을 바로잡으라고 말하였다. 그 노인은 언제나 길동을 돕겠다고 하였다. 어려운 일이 있으면 자신을 부르라고 말하였다.

그리고는 무학 도사를 찾아가라고 일러 주었다. 무학 도사가 어디 있는 누구인지 길동은 모른다. 그러나 노인의 말대로 쉽게 찾을 수 있을 것 같지는 않았다. 무슨 일이나 힘들여 스스로 얻으라고 하였다. 그 말은 정말 옳은 말이다. 피와 땀을 흘려서 얻은 것이라야 소중함을 아는 것이다.

'그렇다. 나는 시간이 얼마가 걸리든 꼭 무학 도사를 찾아 내고야 말 것이다. 그래서 그 분의 가르침을 받을 것이다.'

길동은 그런 다짐을 하고 굴을 나와 샘물을 떠서 세수를 하였다. 새 사람이 된 듯 정신이 맑아졌다.

'청룡님! 저의 어머님과 아버님을 제 대신 지켜 주시고, 보살펴 주십시오.'

길동은 두 손 모아 진심으로 빌었다.

스승을 찾아서

길동은 박달나무 시팡이로 달리는 토끼를 잡아, 불에 익혀서 끼니를 때웠다. 오랜만에 고기를 먹으니, 얼마나 든든한지 몰랐다. 배가 부르니 걸어도 힘이 덜 들었다.

길동이 가는 길은 사람이라고는 그림자도 보이지 않았다. 길도 없고, 빽빽이 들어선 아름드리 나무만 있었다. 어디로 어떻게 가야 할지 분간할 수가 없었다.

금강산에 들어온 것은 확실한데, 어떻게 해서 어디로 가야 할지 알 수가 없었다. 먼저 절을 찾아야 하는데, 그 절이 어디 있는지 물어볼 사람이 없었다. 그저 무작정 위로만 올라갔다.

'자꾸자꾸 가다 보면, 이리저리 헤매다 보면 언젠가는 찾을 수 있겠지.'

그런 막연한 생각을 하며 길동은 자꾸자꾸 걸어갔다. 얼마나 걸었는지 모른다. 또 어디를 걸었는지도 모른다. 배가 고프면 풀뿌리를 캐어 먹거나 나무에 말라붙어 있는 머루와 다래 같은 것을 따 먹으며 걸었다.

이제는 지칠 대로 지쳐 더 걸을 수가 없었다. 그 때, 어디선가 목탁 소리가 들려왔다.

'오! 이 근처에 절이 있나 보다.'

길동은 기운을 내어 다시 걸었다. 과연 멀지 않은 곳에 절이 있었다. 길동은 너무도 반가웠다. 며칠째 사람을 만나지 못한 길동이었다.

"스님, 말씀 좀 묻겠습니다."

길동은 두 손을 모아 합장을 하였다.

"네, 무슨 말씀입니까?"

그 스님도 합장을 하고는 길동을 바라보았다.

"혹시 무학 도사라는 분이 어느 곳에 계신지 아시면 가르쳐 주십시오."

"무학 도사요? 그런 분은 이름도 들어 본 적이 없는데요."

"금강산에 계시다는 소리를 들었습니다."

"글쎄올시다. 금강산이 하도 넓고, 절도 많아서 어느 절에 계신지는 몰라도, 소승은 그런 스님이 계시다는 말을 들은 기억이 없습니다."

"그렇습니까! 그러면 다음 절은 또 어디에 있습니까?"

"요 너머에 봉수사라는 절이 있습니다. 그렇지만 그 절에도 그런 분은 안 계십니다."

"네, 잘 알았습니다. 친절히 일러 주셔서 감사합니다."

길동은 공손히 인사를 하고 물러나왔다. 무학 도사를 모른다니, 더 물어볼 필요가 없었다. 좀 실망을 하였지만, 그래도 희망을 잃지 않고 다음 절을 찾아 길을 떠났다.

그러나 요 너머라고 한 절이 아무리 가도 나타나지 않았다. 혹시 길을 잘못 들지나 않았나 하고 주변을 아무리 둘러보아도 길동이 걷고 있는 길 외에 다른 길은 없었다. 요 너머라고 한 것이 하루 종일 걸렸다. 저녁때가 되어서야 겨우 그 절을 찾았다. 그러나 그 절에서도 그런 도사는 알지 못한다는 대답밖에 듣지 못하였다.

'아, 이제 어디 가서 찾지?'

길동은 무학 도사를 찾을 일이 막막하였다. 그렇다고 밤에 길을 나설 수도 없어서, 그 날은 그 절에서 신세를 졌다. 다음 날 아침 일찍 길동은 부처님께 불공을 드리고 절을 나왔다.

길동은 절에서 나오면서 주지 스님께 다시 한 번 무학 도사의 행방을 물었다. 여전히 모른다는 대답뿐이었다.

'어디로 가서 찾아야 하나. 혹시 그 청룡 노인이 잘못 일러 주신 것이 아닐까. 그렇지 않으면 나를 고생시키려고 일부러 없는 사람을 있다고 한 것이 아닐까?'

길동은 의아한 마음이 들었으나, 그 노인의 풍채를 보아 그럴 것 같지는 않다는 생각을 하였다.

'무슨 일이든 힘들여 스스로 얻어라!'

그 노인의 말이 귓가에 들리는 것 같았다.

'그렇다. 어떻게 해서든지 꼭 찾아내고야 말 것이다!'

길동은 다시 힘을 내어 길을 떠났다. 절은 말할 것도 없고, 암자라는 암자는 며칠을 두고 모두 찾아보았다. 그런데 가는 곳마다 그런 도사는 알지 못한다고 하였다.

5일째 되는 날이었다. 길동은 이번에는 그럴싸한 동굴까지 모두 찾아보았다. 그러나 끝내 찾지 못하였다.

길동은 몹시 피곤해서 어느 한 곳에 누웠다. 그런데 눕자마자 자기도 모르는 사이에 깊은 잠에 빠져 버렸다. 그리고 잠결에 무슨 소리를 들은 것 같았다.

"어흥!"

잘못 들은 것은 아니었다.

바로 머리 위에서 사나운 짐승의 울부짖는 소리가 들렸다. 길동은 얼른 몸을 일으켰다. 가만히 보니, 두 눈에 빨간 불을 켠 짐승이 길동을 노려보고 있었다. 호랑이였다.

길동도 마주 노려보았다.

"어흥!"

산이 무너져 내릴 듯한 울음소리가 들렸다. 호랑이는 그 울음소리보다 빨리 공중으로 몸을 솟구쳤다. 그러나 길동은 어느 새 호랑이를 피하여 바위 위에 뛰어올라가 있었다. 짐승과 사람의 숨막히는 싸움이 벌어졌다.

호랑이는 첫 공격에 실패하자, 화가 나는지 마구 으르렁거리며 미친 듯이 날뛰었다. 그러나 아무리 날뛰어도 가뿐가뿐 몸을 날리며 이리저리 피하는 길동을 붙잡을 수는 없었다.

길동은 공격을 하지 않았다. 그저 호랑이를 피하기만 하였다.

호랑이는 차츰 기운이 빠져 나갔다. 제 힘에 겨워 한참씩 도사리고 씩씩거리고만 있었다.

길동은 그 때를 기다리고 있었다. 호랑이의 동작은 점점 느려졌다. 길동은 번개같이 몸을 날려 호랑이에게 달려들었다. 그리고는 짚고 다니던 지팡이로 호랑이의 머리를 때렸다.

"크르릉…… ."

호랑이는 머리를 얻어맞고 그 자리에 나동그라졌다. 길동은 단 한 대로 호랑이를 쓰러뜨린 것이다.

"과연 훌륭한 솜씨다!"

어디서 우렁찬 목소리가 들렸다.

길동은 깜짝 놀라 소리가 나는 곳을 바라보았다. 그 곳에 노인 한 분이 서 있었다. 어디선가 본 듯한 노인인데, 기억이 잘 나지 않았다.

길동은 혹시 청룡 노인이 아닌가 하고 생각하였으나, 그렇지는 않은 것 같았다.

"어르신은 뉘십니까?"

길동은 공손히 절을 한 뒤 물었다.

"금강산이 명산이라고 하기에 구경 온 사람이다!"

"노인께서는 혼자 이런 험한 산에 어떻게 오셨습니까?"

"나보다도 너같이 어린 소년이 이 험한 산에는 무엇 하러 들어왔느냐?"

"네, 마음의 도를 닦기 위하여 무학 도사를 찾아가는 길입니다."

"뭐! 무학 도사?"

"네, 혹시 노인께서는 무학 도사를 알고 계신가요?"

"알고말고!"

"정말입니까?"

길동은 너무 반가워 크게 소리질렀다. 아무리 찾아다녀도 무학 도사라는 이름조차 모른다는 말만 들어 오던 터라 놀랄 수밖에 없었다.

"도사님이 계신 곳을 가르쳐 주십시오."

길동은 두 손을 모아 빌었다. 눈물이 나오려고 하였다.

며칠을 두고 고생을 하던 끝에, 더구나 호랑이에게 물려 갔더라면 영영 만나 보지도 못했을 도사였다.

그렇게 생각하니 죽기 직전에 구원을 받은 것 같았다.

"그 사람을 찾아서 무엇을 하려고 그러느냐?"

"네, 가르침을 받으려고 합니다."

"그 사람은 그런 사람이 못 된다. 나도 만나 보기는 했지만, 그는 그의 이름과 같이 배운 것이 없는 하잘것없는 늙은이에 불과하단다."

"노인께서 잘못 보신 겁니다. 결코 그런 분이 아닐 것입니다. 계신 곳을 가르쳐만 주십시오. 만나 뵙고 친히 가르침을 받고자 합니다."

"그래, 그 이름은 어디서 들었느냐?"

"네, 저를 지켜 주시고 보살펴 주시는 청룡 노인한테 들었습니다."

길동은 꿈속에서 청룡 노인에게 들은 이야기를 하였다.

"그렇지만 네가 찾아간다는 그 무학 도사라는 노인은 찾지 말거라. 실망만 할 것이야. 너의 재주를 보니, 너만도 못한 늙은이다. 내가 보기에는 오히려 무학 도사가 너한테 배워야 할 점이 더 많을 것 같구나."

"그게 무슨 말씀이십니까? 부디 계신 곳을 가르쳐 주십시오."

"네가 정 찾아가고 싶다면 막지는 않겠다. 그러나 네가 가려면 이틀은 족히 걸릴 것이다."

"이틀이 아니라 스무 날이 걸려도 좋습니다. 가르쳐만 주십시오."

"이 산을 넘어가면 백수사라는 절이 있고, 그 절을 넘어가면 조그만 암자가 있단다. 그 암자에서 위로 자꾸자꾸 올라가면 큰 석굴이 있다. 그 석굴 속에 있다."

"석굴 속에요?"

"내가 만났을 때는 틀림없이 그 석굴 속에 있었는데, 지금은 어찌 되었는지 모르겠다."

"감사합니다. 이 은혜 잊지 않겠습니다."

길동은 공손히 절을 하였다.

"그럼, 이제 가 보아라!"

"죄송하지만, 존함을 알려 주십시오."

"보잘것없는 이 늙은이의 이름은 알아서 무엇 하려고 그러느냐! 인연이 있으면 다시 만날 것이다. 부디 몸조심 하여라!"

"그럼 안녕히 가십시오."

길동은 인사를 하고 발걸음을 옮겼다. 몇 걸음 가다가 뒤를 돌아보니, 노인은 이미 가 버리고 없었다.

'아니, 그 사이에 벌써 가시다니!'

길동은 다시 아까 있던 곳으로 되돌아와서 노인을 찾아보았다. 그러나 역시 보이지 않았다.

길동은 그 날 백수사에서 자고, 다음 날 아침에 노인이 가르쳐 준 대로 암자를 찾아 올라갔다. 쉬지 않고 계속 걸었지만, 무학 도사를 만날 수 있다는 기쁨에 힘든 줄도 몰랐다. 걸음도 저절로 빨라졌다.

그렇게 걸으며 사흘이 되었을 때, 노인이 가르쳐 준 동굴을 발견하였다. 길동은 두근거리는 가슴으로 동굴 앞으로 다가갔다.

"길동아!"

누군가가 부르는 소리에 길동은 깜짝 놀라 뒤를 돌아다보았다.

"앗!"

길동은 소스라치게 놀랐다. 자기를 부른 사람은 다름 아닌, 이 동굴을 가르쳐 준 노인이었다.

"나는 단시간에 왔는데, 너는 사흘씩이나 걸렸구나!"

"스승님, 몰라뵈었습니다. 다시 인사드리겠습니다. 이 몸, 홍길동이라고 합니다. 거두어 주십시오."

길동은 무학 도사 앞에 무릎을 꿇고 절을 하였다. 길동은 가만히 생각해 보았다. 사흘씩이나 걸리는 먼 거리를 어떻게 단시간에 올 수 있었을까! 길동은 무학 도사가 축지법을 쓰는 게 분명하다고 생각되었다. 그렇지 않고서는 늙은 몸으로 그렇게 빨리 올 수 없는 일이었다. 아무리 길이 익숙하다고 하여도 도저히 불가능한 일이었다. 길동은 무학 도사가 더욱 존경스러웠다.

"오늘은 푹 쉬어라. 여기까지 오느라 수고 많았다."

무학 도사는 부드럽게 말하였다.

"도사님, 감사합니다."

길동은 다시 절을 하고 일어났다. 짐은 아무것도 없었다. 그야말로 몸 하나뿐이었다.

"그럼, 어서 들어가 푹 자거라. 나는 잠시 다녀올 데가 있다."

무학 도사는 그렇게 말하고 훌쩍 사라져 버렸다. 정말 눈 깜짝할 사이였다.

길동은 굴 안으로 들어가 보았다. 굴은 상당히 깊고 음산하기 짝이 없었다. 한쪽 구석에 촛불이 켜져 있고, 조그만 상 위에 책이 놓여 있을 뿐, 아무것도 없었다. 길동은 무학 도사가 신비해 보이고, 존경스러웠다. 길동은 불을 끄고 자리에 누웠다. 대낮인데도 굴 안은 캄캄하였다. 이 생각 저 생각 하다가 깜박 잠이 들었던 길동은 무슨 소린가를 듣고 얼핏 눈을 떴다. 무학 도사가 돌아와 있었다.

"이제야 깨어났구나! 샘에 가서 세수를 하고 오너라. 너를 위해 특별한 음식을 차려 놓았다."

무학 도사는 인자한 목소리로 말하였다. 길동은 깜짝 놀라 벌떡 일어났다.

"죄송합니다, 도사님!"

길동은 밖으로 나와 샘물에 세수를 하였다.

무학 도사는 어디서 얻어 왔는지 맛있는 음식으로 상을 차려 놓고, 길동이 일어나기를 기다리고 있었다. 길동은 죄송한 마음이 들었다.

"자, 어서 먹자. 그러나 내일부터는 네가 알아서 해라."

"죄송합니다, 도사님. 제가 차려 드렸어야 하는데……."

길동은 맛있게 식사를 하였다.

다음 날부터 길동은 살림을 시작하였다. 먼저 밥 짓는 일부터 시작하였다. 그것도 하나의 수업이었다. 처음에는 서툴렀으나, 날이 갈수록 익숙해졌다.

"길동아, 너는 이 굴 속이 어둡다고 생각하지?"

"네, 바깥보다는 어둡습니다."

길동은 무학 도사가 묻는 뜻이 어디에 있는가 생각하며 이렇게 대답하였다.

"그러나 어둡다는 것은 네가 밝음을 경험해 보았기 때문이고, 맹인은 처음부터 어두운 것을 느끼지 않는다. 이 굴 안에만 있으면 굴 생활도 그리 불편하지 않을 것이다. 또 굴 안에 있는 물건도 잘 볼 수 있게 될 것이다."

"네, 알겠습니다."

무학 도사의 말은 맞았다. 처음에는 좀 불편하고 어두웠지만, 며칠을 지내고 나니 그리 불편하지도 않았고, 또 굴 안에 있는 물건들도 희미하게나마 보이기 시작하였다.

"오늘부터는 금강산을 두루 돌아다녀 보거라. 그래서 금강산의 지리를 먼저 익혀라. 어디에 절이 있고, 어떤 암자가 있는지, 또 어떤 숲이 어디에 있는지를 외워라. 그리고 어떤 바위가 어디에 있다는 것도 익혀라. 어떤 것이라도 소홀히 보아 넘겨서는 안 된다. 모든 것을 찬찬히 보고 생각해야 한다. 그래서 천 리 밖의 것도 눈앞에 보는 것처럼 알아야 한다!"

"네, 알겠습니다."

길동은 그 날부터 산을 돌아다녔다. 무학 도사가 말한 대로 꼼꼼하게 지리를 익혀 두기 시작하였다. 처음에는 힘들었지만, 하루 며칠 동안 돌아다니다 보니 익숙해졌다. 이제 길동은 산길도 보통 길을 걷는 것처럼 걷게 되었다. 또 어디에 무엇이 있다는 것도 눈앞에 있는 것처럼 환하게 알 수 있었다.

무학 도사는 그 후, 길동에게 본격적으로 글과 무예를 가르쳐 주었다. 새벽부터 점심때까지는 글을 가르쳐 주고, 점심을 먹고 나서는 무예를 가르쳐 주었다. 배우는 길동도 열심이었으나, 가르치는 무학 도사는 더욱 열심이었다.

글로는 사서삼경을 비롯하여 육도삼략, 손자병법, 오자병법 같은 병서를 배우고, 무예로는 궁술을 비롯하여 검술과 마술까지 배웠다. 길동의 공부는 비가 오거나 눈이 내리거나 조금도 쉬지 않았다.

무학 도사는 학식도 대단하였지만, 무예가 특히 뛰어났다. 그래서 길동의 학식과 무예는 날로 발전하였다. 본디 길동의 재주가 비상한데다 좋은 스승 밑에서 배우니 이제 아무도 대적할 사람이 없었다.

하루도 쉬지 않고, 학문과 무예에 정진하기를 꼬박 3년, 이제 길동의 실력은 더할 나위 없이 발전하였다. 글과 무예를 배우기 시작한 지 만 3년째 되는 마지막 날, 무학 도사는 길동을 불러 놓고 이렇게 말하였다.

"길동아! 나는 이제 너에게 더이상 가르쳐 줄 것이 없다. 이제 산을 내려가거라."

"스승님! 그게 무슨 말씀이십니까? 저는 학문으로나 무예로나 아직 자신이 없습니다."

"옳은 말이다. 대자연의 무궁한 진리에 비하면 네가 글과 무예를 배우면 얼마나 배웠으며, 내가 가르쳤다면 얼마나 가르쳤겠느냐? 이렇듯 사람의 능력에는 한정이 있는 것인데, 너는 이미 사람으로서 배워야 할 것은 모두 배웠다. 그러니 이제부터는 네 스스로 지식을 넓혀 가도록 해야 한다."

"그러나 스승님! 저는 아직……."

"네가 더 배우고 싶어하는 마음은 나도 잘 안다만, 내게는 너를 더 가르칠 능력이 없다. 그뿐 아니라, 네 나이 이미 열아홉이니, 세상에 나가서 다 같이 평화롭게 살아갈 수 있도록 어지러운 세상을 바로잡아 보거라. 그 동안 네가 배운 학문과 무예를 올바른 일에 쓰거라."

길동은 어떻게 대답해야 할지 몰랐다. 어지러운 세상을 한번 바로잡아 보겠다는 것이 자신의 결심이기는 하였다. 그러나 아직도 자기 실력이 부족한 것 같아서 더 배우고 싶었다.

이튿날 아침에 깨어 보니, 무학 도사는 간 곳이 없었다. 밤 사이에 어디론지 종적을 감춘 것이다. 길동은 설움이 왈칵 솟았다.

"스승님, 스승님!"

아무리 부르며 찾아도, 무학 도사는 보이지 않았다. 길동은 할 수 없이 스승님께 인사도 못 하고 산을 내려왔다.

고통받는 백성들

당시 나랏일을 하는 사람들은 서로 편이 갈리어 당파 싸움을 하느라 백성들의 생활에는 관심이 없었다. 임금은 자신의 명예와 사리사욕을 채우기 위해 온갖 몹쓸 짓을 서슴지 않았다. 그는 임금의 자리를 빼앗길까 봐 형과 아우를 죽였으며, 아우를 낳은 자신의 계모까지 궁에서 쫓아내고 말았다.

그뿐만이 아니었다. 색문동에 왕의 기운이 흐른다는 말을 듣고, 아우의 궁을 빼앗아 근처에 있는 민가 수천 호를 부수고, 승군과 백성들을 동원하여 색문 안에 대궐을 지었다. 그리고 그 곳에 가서 살았다. 그 왕의 기운을 자기가 받자는 뜻에서 그렇게 한 것이다.

이런 포악한 임금 아래에는 으레 간신들이 들끓었다. 그들은 출세를 위하여 별짓을 다 하였다. 그러므로 아부 잘하고 모함 잘하는 사람들이 출세를 하여 세도를 부리고 살았다.

윗물이 맑아야 아랫물이 맑은 것인데, 임금과 대신들이 그 모양이니, 지방의 수령들은 말할 것도 없었다. 그들은 죄 없는 백성들을 붙들어다가 때리고 돈을 빼앗았다.

그래서 백성들은 그들의 등쌀에 살아갈 방도가 없었다. 불쌍한 것은 힘없는 백성들뿐이었다.

농사를 지어도 여러 가지 이름의 세금으로 모두 빼앗아 가니, 농사를 짓고도 쌀은 구경도 못하였다. 그러니 느는 것은 도둑뿐이었고 민심은 사나워졌다.

어느 날, 길동은 세상의 형편을 알아보기 위하여 장사꾼 차림을 하고 농촌을 찾아가 보았다.

마침 여름철이라서 4~5명의 노인들이 그늘에 모여 앉아서 이런저런 이야기를 나누고 있었다.

"제기랄! 밥은 못 먹더라도 죽이라도 먹어야 농사를 지을 게 아닌가?"

"농사는 지어서 무엇 해! 피땀 흘려 농사지어 놓으면 관가에서 모조리 빼앗아 가는걸."

"새로 온 원님은 좀 나을까 했더니, 그놈이 그놈이야!"

"이 사람아, 그럴 수밖에 없지 않은가. 원님 자리를 얻기 위해 밑천이 들었을 것 아닌가. 그 밑천을 뽑아야지."

"십만 냥을 들여 원님이 되면, 백만 냥을 벌려고 덤벼드는 것이지. 그놈들 등쌀에 못 살겠는 건 우리들뿐이지."

"그런데 원님은 왜 그리 자주 바뀌나?"

"허! 답답한 소리. 원님이 자주 바뀌어야 서울 대감님들 수입이 늘어날 것 아닌가?"

"하기는 그래! 이놈의 세상이 아예 뒤집혀 버려야 되는데, 하늘도 무심하시지……."

노인들이 하는 이야기를 듣고 있던 길동은 크게 한숨을 쉬었다. 헐벗고 굶주린 사람들이 이들만이 아님을 생각하자, 길동은 자신의 사명이 크다는 것을 새삼 깨달았다.

길동은 길을 돌아 이번에는 관가가 있는 고을로 들어섰다.

그러자 사람들이 이 골목 저 골목에 모여 서서 저희끼리 수군거리고 있었다.

길동은 이상하게 생각하고 사람들이 모인 곳으로 가 보았다. 암만해도 사람들의 얼굴빛이 심상치가 않았다. 수상한 것은 그뿐이 아니었다.

얼마 후에 동헌 뜰에서 누군가 매를 맞는지 비명 소리가 들렸다. 비명 소리는 쉬지 않고 들려왔다.

길동은 슬쩍 사람들 곁으로 다가서며 물었다.

"아니, 저게 웬 비명 소리입니까?"

그러자 사람들은 일제히 경계하는 눈으로 길동을 바라보다가, 길동의 행색을 보고서야 안심한다는 듯이 말하였다.

"사또가 생사람 잡는 소리지, 뭐겠소?"

"생사람을 잡다니, 사람을 어떻게 잡는단 말인가요?"

"허어! 이 양반, 정말 세상 물정을 모르는 모양이군. 죄 없는 사람을 잡아다가 돈을 내라고 무작정 볼기를 치니, 그게 생사람 잡는 것 아니겠소!"

길동은 동헌 뜰에서 비명이 들려오는 까닭을 알고 나서는 마음이 더욱 착잡해졌다.

그는 생사람 잡는다는 실정을 제 눈으로 한 번 보려고, 동헌 담 밖에 있는 커다란 느티나무에 올라가 안을 들여다보았다. 다행히 나뭇잎이 우거져 몸을 숨기기는 쉬웠다.

길동은 높다란 나뭇가지에 몸을 숨기고, 눈을 커다랗게 뜨고 안을 엿보았다.

눈 아래에서 벌어지고 있는 광경은 차마 볼 수가 없었다. 높다란 대청마루 끝에 잔뜩 도사리고 앉아서 눈을 부라리며 호통을 치고 있는 사람은 사또인 것 같았다.

"이놈! 네 죄를 네가 알렷다!"

사또는 뜰 아래 있는 사람을 굽어보며, 목을 길게 뽑고 사나운 목청으로 서슬 푸르게 호통쳤다.

그러자 맨땅에 꿇어 엎드려 있던 늙은 사람이, 머리를 조금 움직이며 무언가를 아뢰는 것 같았다. 그 대답 소리는 길동의 귀에까지 들리지는 않았다.

"이노옴! 네 죄를 네가 모르면 누가 안단 말이냐?"

이번에도 사또는 추상 같은 소리를 질렀다.

죄 없는 사람에게 우격다짐으로 죄를 덮어씌우려는 것이 분명하였다. 늙은 사람이 그래도 자기의 죄를 모르겠다고 하니까, 사또는 얼굴이 붉으락푸르락하다가, 이번에는 좌우 사령들을 보며 말하였다.

"여봐라! 저놈이 제 죄를 실토하지 않으니, 실토할 때까지 매우 쳐라!"

사령들은 곤장을 치기 시작하였다.

무서운 악형이었다. 맞는 사람은 자기의 죄가 무엇인지조차도 모르고 맞는 것 같았다. 결국에는,

"제가 잘못하였습니다."

하고 말하였다.

사또는 그 때서야 화를 풀며,

"여봐라, 저놈에게 큰칼을 씌워서 옥에 가두거라."

하고 호령을 하였다.

길동이 나무에서 내려오다 보니, 바로 아래 나무 밑에서 농사꾼 같은 젊은이가 이방에게 애걸복걸을 하고 있었다.

이방은 거드름을 피우며 말하였다.

"그 늙은이가 자네 아버지라고? 워낙 늙어서 동정은 가지만, 이번 일이 무사히 처리되기는 틀린 일이네. 한 천 냥쯤 마련해 온다면 어떻

게 해 볼 수 있으려나……."

사또와 한통속이 되어 백성들의 재물을 노략질하기에 이골이 난 이방은, 죄 없는 사람을 가두고 뇌물을 가져오라고 협박하고 있는 것이다.

젊은이는 천 냥이라는 말에 기가 막힌 모양인지, 한동안 가만히 서 있다가 말하였다.

"소인에게 재물이 있으면 아버님을 위해 천 냥 아니라 만 냥이라도 못 바치겠습니까? 곡식과 소를 모두 팔아도 사오백 냥밖에 안 됩니다. 어찌해야 좋을까요?"

그러나 이방은 쌀쌀맞게 말하였다.

"허, 그 돈으로는 어림없네! 부족한 대로 칠팔백 냥 정도라면 어떻게 해 볼 수 있으려나……."

젊은이는 이것저것 한참을 생각하다가 아무래도 그 돈을 마련하는 것은 불가능하다고 하였다.

그러자 이방은 냉정하게 말하였다.

"자네 집이 아마 2백 냥짜리는 될 텐데."

그 말은 집을 팔아서라도 돈을 마련해 오라는 뜻이었다.

결국 젊은이는 집까지 팔아 7백 냥을 마련해 오겠다고 약속하였다. 이렇듯 악착같이 백성의 피를 짜내는 광경을 길동은 직접 보았다. 그는 두 주먹을 불끈 쥐었다.

도적의 소굴

길동은 먼저 일을 하려면 뜻이 맞는 동지를 구해야 한다고 생각하였다. 아무리 아는 것이 많고 재주가 좋다고 하여도 혼자서는 도저히 뜻을 이룰 수 없었다.

길동은 문득 달래골에 사는 마숙을 생각하였다. 마숙은 영리하고 재주가 있었다.

'그레, 마숙을 찾아가 보자!'

길동은 사람의 그림자가 보이지 않는 산길을 걷고 있었다. 길은 아주 험하고 가파랐다.

그런데 그 때, 길동의 앞으로 시퍼런 칼이 불쑥 나왔다. 길동은 멈춰서서 그쪽을 바라보았다. 10여 명이 우르르 몰려나와 길동을 둘러쌌다.

길동은 눈을 부릅뜨고 호령을 하였다.

"너희는 누군데, 길 가는 사람을 가로막는 것이냐?"

"보면 모르냐? 잔소리 말고 가진 것 모두 내놓아라."

"가진 것은 아무것도 없다. 먹을 것이 있거든 좀 놓고 가거라. 인가가 없어서 얻어먹을 수도 없으니……."

"허, 이놈 봐라. 오히려 우리한테 달라고 하네. 이런 놈은 처음 보는군."

성미 급한 자는 칼을 고쳐 쥐었다. 그러자 한 사나이가 말리며 말하였다.

"가만히 있어. 이놈이 말하는 것을 보니, 쓸 만한 놈 같다. 두목에게 끌고 가자."

"내 발로 가면 몰라도 너희한테 끌려가지는 않을 거다. 그런데 지금 나보고 도둑이 되라는 거냐?"

"도둑이라고 하지 마라. 우리는 의적단이야!"

"의적이고 뭐고, 한번 가 보자!"

길동은 이들이 밉지가 않았다. 두목을 한번 보고 싶었다. 길동은 지금 동지를 구하러 나선 길이었다.

이 도둑 패들을 잘 이용하면 써먹을 수 있을지도 모른다는 생각이 들었다. 그는 도둑들을 따라갔다.

어느 깎아세운 듯한 벼랑 앞에서 도둑들은 걸음을 멈추었다. 큰 바위 밑에 돌문이 있고, 그 앞 양쪽에 문지기가 서 있었다. 앞서 가던 자가 무엇이라고 하더니, 휙 하고 휘파람을 불며 길동에게 따라 들어오라는 손짓을 하였다.

길동이 돌문 안으로 들어가니 그 곳은 넓은 들이었다. 이런 곳에 이렇게 넓은 들이 있다는 것이 신기하기 짝이 없었다. 마침 산적 두목이 졸개들과 함께 들 복판에서 잔치를 벌이고 있었다.

길동을 데리고 온 산적은 길동을 기다리게 하고는 두목 앞으로 가서 굽실거리며,

"쓸 만한 놈 하나 붙들어 왔습니다."
하고 말하였다. 그러나 두목은 쳐다보지도 않고 술만 마셨다.

거기 모인 사람들은 거의 백여 명은 되어 보였다. 큰 바위가 한복판에 놓여 있었다.

"자, 이 바위를 번쩍 들 놈은 나서 보아라."

두목이 소리를 질렀다. 그러나 아무도 선뜻 나서는 사람이 없었다. 바위가 천 근은 되어 보였다. 몇 사람이 나와서 들어 보았으나, 꿈쩍도 하지 않았다.

"그래, 이까짓 것을 드는 놈이 하나도 없다는 말이냐?"

두목이 호령을 하였다. 그 때 한쪽 구석에서,

"제가 한번 들어 보지요."
하고 성큼성큼 두목 앞으로 걸어 나오는 사람이 있었다.

바로 길동이었다.

"어디 들어 보거라."

길동은 바위를 한참 동안 바라보더니, 머리 위로 번쩍 들어올렸다. 박

수 소리가 터져 나왔다.

"오, 굉장한 장사로다!"

두목은 내려와서 길동의 손을 이끌고 단 위로 올라갔다. 두목은 길동에게 이것저것 물었다.

"그래, 어디 사는 누구시오?"

"서울에 사는 홍길동이오!"

"아니, 길동 도련님!"

두목은 갑자기 길동 앞에 무릎을 꿇고 엎드렸다.

"소인, 달래골 살던 마숙입니다."

"뭐, 뭐라고?"

길동과 마숙은 손을 마주 잡고 너무 반가워 아무 말도 하지 못하였다. 이런 곳에서 만나리라고는 생각도 못하였기 때문이다. 마숙은 길동을 위하여 큰 잔치를 열고 졸개들에게 길동을 소개하였다.

"이제부터 우리의 두목은 홍 도련님이다."

그리고는 길동을 윗자리에 앉혔다. 길동은 몇 번 사양하였으나, 마숙의 뜻이 워낙 굳고 길동도 뜻한 바가 있어서 결국 승낙을 하였다. 두 사람은 밤이 새는 줄도 모르고 이야기꽃을 피웠다.

해인사 기습

마숙은 부모님을 모시고 부지런히 일을 하여, 그 고을에서는 그래도 사는 편에 속하였다.

그러나 아버지가 뜻하지 않은 일로 관가로 잡혀갔다.

외숙이 마숙의 집에서 하루 자고 갔는데, 그 외숙이 도둑질을 하고 숨었으니 찾아 놓으라는 것이었다.

외숙이 어디로 간지 모르는 아버지는 끝내 대답을 못하여, 모진 매를 견디지 못하고 죽었다.

그러자 어머니는 화병이 나서 한 달쯤 앓다가 세상을 떠났다.

"그 때 도련님 생각을 많이 했어요. 에라, 나도 금강산에나 들어가자. 내 한 몸이 어디 간들 못 살까 싶어서 금강산으로 들어가는 길에, 여기 있는 패에게 붙들려 이 곳으로 오게 되었어요."

"정말, 안되었네. 부모님이 돌아가시다니!"

"처음에 제가 끌려와서 보니, 이 패들은 지나가는 사람들의 보따리를 빼앗는 산적이더라고요. 그래서 소인이 두목이 된 뒤부터는 일절 그런 짓을 하지 못하게 하고 의적이 되자고 맹세했습니다. 지금은 백여 명이 한마음 되어 백성을 괴롭히는 관리와 싸우고 있는 중입니다."

"정말 장하다! 이제부터 나와 손을 잡고 어지러운 세상을 바로잡아 보자."

"부디 우리를 이끌어 주십시오. 이렇게 도련님을 만나게 된 것은 모두 다 하늘이 도와준다는 뜻인 것 같습니다."

길동은 마숙에게 금강산에서 지낸 3년 동안의 일을 자세히 들려 주었다.

"그 무학 도사께서 우리 일을 도와주실 거다. 우리는 의를 위해 싸우고, 의를 위해 죽어야 한다."

길동은 주먹을 불끈 쥐고 말하였다.

마숙은 그 동안 자기가 생각했던 일을 이야기하며, 해인사를 치자고 하였다.

"해인사라니? 절을 쳐서 무엇 하게?"

"그 곳의 주지는 천하에 나쁜 놈으로서 옳지 않은 방법으로 재물을 모은 놈입니다. 그러니 그 절부터 털어 우리의 군비로 보태는 것이 좋을 듯합니다."

"그럼, 어째서 지금까지 그대로 놔 두었던 거냐?"

"그 절에는 승군만 해도 백여 명이 된다고 합니다."

"염려 말아라. 내가 일을 꾸밀 테니, 너희들은 내 지휘대로 움직이기만 하여라."

다음 날이었다.

길동은 푸른 도포에 검은 띠를 매고 부하 몇 명을 데리고 나귀를 타고 나섰다. 도적들은 영문을 몰라 물었다.

"이렇게 갑자기 어디로 떠나시는 겁니까?"

"떠나는 것이 아니다. 이제 내가 해인사로 가서 동정을 살피고 올 테니 그 때까지 기다리고 있거라."

길을 떠난 길동은 어느덧 해인사에 이르렀다.

그는 먼저 주지를 불렀다.

"나는 서울에 사는 홍 판서의 아들인데 이 절로 글공부를 하러 왔소. 내일이면 백미 20석을 보내올 것이니 음식을 깔끔하게 차리도록 하시오."

길동은 절 안을 두루 살피고, 다음 날 다시 오기로 약속하고 절 문을 나섰다.

아무것도 모르는 스님들은 재상의 아들이 쌀을 20석이나 가지고 온다니 그저 반가워서 절 문밖 멀리까지 나와서 인사를 하였다.

도적의 굴로 돌아온 길동은 우선 백미를 모아 해인사로 보냈다. 그리고 도적들을 불러 모았다.

"해인사의 동정은 내가 샅샅이 살피고 왔다. 내가 시키는 대로 움직이기만 하면 그 절의 재산은 모두 우리 것이 된다!"

길동은 각자가 해야 할 일을 말해 주었다.

마침내 미리 약속해 두었던 날이 돌아왔다. 길동은 부하 수십 명을 데리고 해인사에 당도하였다.

해인사의 여러 스님들은 귀한 손님이 온다 하여 문밖까지 나와서 맞이해 주었다.

길동은 주지를 불렀다.

"내가 보낸 쌀로 음식이 부족하지는 않았소?"

"어찌 부족하겠습니까? 너무 황감할 정도입니다."

상이 들어왔다.

윗자리에 앉아 점잖게 먹고 있던 길동은 여러 스님들에게 같이 먹자고 청하였다. 길동의 너그러운 처사에 감동을 하여 스님들도 같이 앉아 상을 받게 되었다.

전국의 여러 절 중에서도 크고 재산 많기로 이름난 해인사. 더욱이 재상의 아들이라는 길동이 미리 쌀까지 보내 주어 차리게 한 음식이니 과연 훌륭하였다.

잠시 후, 길동은 주머니 속에 미리 넣어 온 모래를 아무도 모르게 한 줌 꺼내어 밥과 함께 입에 넣었다.

"와지끈!"

하고, 모래 씹는 소리가 방 안을 울렸다.

여러 승들은 이 소리를 듣고 깜짝 놀랐다. 그들은 먹던 숟가락을 내려놓고 그 자리에 엎드려 사죄를 하였다.

그러나 길동은 일부러 크게 화를 내며,

"너희들은 무슨 까닭으로 음식을 이렇게 불결하게 만들었느냐? 아마 나를 욕보이려고 이렇게 한 게로구나!"

길동은 소리소리 지른 다음 부하들에게 말하였다.

"애들아, 저놈들을 모조리 한 줄에 결박해 앉혀 놓아라."

부하들은 즉시 그렇게 하였다.

바로 이 때였다.

난데없는 도적 수백 명이 문을 박차고 뛰어들어왔다. 물론 다른 길로 왔다가 숨어서 기다리고 있던 길동의 부하들이었다.

스님들은 기겁을 하였다. 줄로 묶인 채 머리를 대고 길동에게 애걸을 하였다.

"우리의 죄는 따로 벌하시고 어서 저 도적들이나 물리쳐 주십시오."

그러자 길동은 빙그레 웃으며 한번 손짓을 하였다.

그러자 길동을 따라왔던 자들도 같이 어울려 도적질을 하였다.

스님들은 그 때서야 자신들이 속았다는 걸 알았다.

"도적놈이었구나!"

"판서의 아들이라는 말은 새빨간 거짓말이었구나!"

아무리 아우성을 쳐도 모조리 묶여 있으니 어쩔 도리가 없었다.

이 때 볼 일이 있어 밖에 나갔다 돌아오던 스님 하나가 있었다. 절 문 가까이 이르러 보니 시끄러운 것이 심상치가 않았다.

'무슨 변이 일어났구나!'

그 스님은 몸을 감추고 절 안의 동정을 살펴보았다.

'도적이구나!'

그는 즉시 숲을 나와 관가로 달려갔다.

"큰일났습니다. 절에 도적이 들어 재물을 다 가져갑니다."

이 소리를 들은 합천 원님은 깜짝 놀랐다.

즉시 관군을 모아 도적을 잡으라고 명령하였다. 수백 명의 관군이 무장을 갖추고 해인사로 향하였다. 가다가 네거리에 이르니 해인사 쪽에서 스님 한 명이 나오고 있었다.

"도적들은 어떻게 되었소?"

"도적들은 저 북쪽 작은 길로 도망가는 중이오니 급히 따라가면 잡을 수 있을 겁니다."

그 스님은 막힘없이 이야기하였다.

관군들은 그의 말대로 북쪽의 작은 길로 파도처럼 밀려갔다. 그러나 아무리 달려가도 도적의 그림자도 보이지 않았다.

그러는 동안 날이 저물어져서 관군들은 아무 소득 없이 그냥 돌아올 수밖에 없었다.

길동은 부하들에게 각각 재물을 힘 닿는 데까지 지게 하고 남쪽 큰길로 보낸 다음, 자신은 승복을 입고 관군에게 거짓으로 길을 가르쳐 준 것이었다.

길동은 관군이 북쪽으로 가는 것을 보고, 산으로 돌아왔다.

훔쳐온 재물을 쌓아 놓고 기다리던 도적들이 모두 길동에게 꿇어 엎드려 절을 하였다.

"참으로 장군의 지략은 놀랍습니다. 장군이 아니었다면 이런 성과를 거두지 못했을 겁니다."

그러자 길동이 너그러운 미소를 지으며 점잖게 한 마디 하였다.

"무슨 소리! 이만한 재주도 없이 어찌 수많은 사람의 우두머리가 될 수 있겠느냐!"

활빈당 행수 홍길동

처음 일에 성공한 길동은 여러 부하들을 모아 놓고 말하였다.

"이제부터 우리 모임의 이름을 활빈당이라고 한다. 즉, 가난한 사람을 도와주는 무리라는 뜻이다. 너희는 가난과 굶주림 때문에 도둑이 되었을 것이다. 세상이 어지러우니 탐관오리들이 설치고 있다. 그들

때문에 백성들이 억울하게 재물을 빼앗기고, 심지어는 목숨까지 잃는다. 앞으로 우리는 불쌍한 행인을 해치지 않고, 탐관오리를 숙청할 것이다. 그래서 그들이 부당하게 모은 재물을 가난한 백성들에게 돌려주기로 한다. 그럼, 이제부터 활빈당 행수에 홍길동, 부장은 마숙이 맡기로 한다."

길동은 엄숙하게 선언하였다.

"홍길동 행수 만세!"

"활빈당 만세!"

부하들은 일제히 소리를 높여 외쳤다. 이렇게 길동은 활빈당을 만들고 우두머리 행수로 행세하게 되었다.

그 날부터 길동은 당원들에게 몸소 무예를 가르치기 시작하였다. 어지러운 세상을 바로잡자면, 아무래도 불의의 무리들을 무력으로 쳐부숴야 할 것 같았기 때문이다. 매일 맹훈련을 하였다.

길동은 당원들을 훈련시키는 동안, 한번도 도술을 부리지 않았다. 그저 힘만 길렀다. 활빈당은 날이 갈수록 틀이 잡혀 갔다.

몇 달 후, 어느 날 길동은 부하들을 모이라 하고 엄숙한 얼굴로 말하였다.

"이제 우리의 실력도 이만하면 충분할 것이니, 한번 행동에 옮기기로 한다. 먼저 금화 관아부터 쳐서 가난한 백성들을 돕기로 한다."

당원들은 그렇지 않아도 몸이 근질근질하던 참에 이 소리를 듣고는, 환성을 울렸다. 길동은 행수로서 일장 훈시를 한 뒤에, 몇 가지 주의를 주었다.

첫째, 절대로 사람을 해치지 말 것.

둘째, 사사로운 물건은 빼앗지 말 것.

셋째, 경거망동을 하지 말 것.

넷째, 목숨을 아끼지 말고, 행수의 명령에 절대 복종할 것.

길동은 이렇게 주의를 주고 나서, 자기가 직접 눈으로 본 금화 원의 행패를 당원들에게 이야기해 주었다. 그리고 금화 관아를 칠 상세한 계획을 설명해 주었다.

한편, 금화 원은 오늘도 호화로운 잔치를 열고, 흥청거리며 놀고 있었다. 술에 약한 사람들은 이미 곯아떨어진 지 오래었다. 그래도 원님은 술이 센지 그 때까지도 기생을 옆에 끼고 웃고 떠들고 있었다. 춤과 노래는 한풀 식고, 웃음소리만 가득하였다. 이윽고 밤이 되었다. 삼문 밖에 한 귀인의 행차가 도착하였다. 앞에는 노복들이 횃불과 등을 밝혀 들고 있었고, 귀인은 말에 호화로운 안장을 깔고 앉아 있었다.

문지기가 공손히 절을 하며 물었다.

"어디서 오신 뉘신지요?"

"사또에게 일러라. 감영에서 왔다!"

문지기가 뛰어들어가 말하자, 사또는 얼굴이 파랗게 질려 허둥댔다.

"애들아, 무얼 그리 꾸물거리느냐? 어서 상을 치워라."

사또는 동헌 마루를 치우게 하고, 비장들을 거느리고 중문 밖으로 나갔다. 사또는 얼굴을 들 수 없었다. 고개를 들면 취한 얼굴이 드러날 것이기 때문이었다. 그는 그저 굽실거리기만 하였다.

귀인이 동헌 마루에 높이 앉을 때까지도 사또는 고개를 제대로 들지 못하였다. 그저 처분만 바란다는 태도였다.

"내가 듣자하니, 사또가 뇌물을 많이 거둬들인다고 하던데, 그게 어찌 된 일이오?"

"잘못 들으신 겁니다. 절대로 그런 일 없습니다."

사또는 뻔뻔스럽게도 이렇게 부인하였다. 길동은 속으로 웃으면서 엄포를 놓았다.

"또 듣자니 사또는 매일 술잔치를 벌인다고 하는데, 그것도 내가 잘 못 들은 것이오?"

사또는 또 머뭇거리다가 이렇게 말하였다.

"누가 그런 말을 한지는 몰라도 그건 저를 골탕 먹이려는 자의 모략입니다."

"얘들아! 저 방문을 열어 보아라!"

길동은 데리고 온 부하에게 일렀다. 부하들은 기다리고 있었다는 듯이 방문을 활짝 열어젖혔다. 먹다 남은 요리상이 지저분하게 놓여 있고, 구석에 기생들이 웅크리고 앉아 떨고 있었다.

"이놈을 당장 묶어라."

"네이, 암행어사 분부시다. 어서 사또를 묶어라!"

마숙이 다른 부하들에게 소리를 질렀다. 사또는 암행어사라는 말에 벌벌 떨었다. 그렇지 않아도 암행어사 같아서 몸 둘 바를 모르고 있었는데, 암행어사라는 말을 듣자 눈앞이 캄캄해졌다.

길동의 부하들은 사또를 비롯하여 관아에 있는 사람들을 모조리 묶어 옥에 가두었다. 그들 중 죄 없는 사람들은 모두 내보내 주었다.

'수일 내로 억울하게 재물을 빼앗긴 사람들은 관가에 와서 모두 찾아가도록 하시오.'

길동은 방을 써 붙였다.

"금화 원이 선량한 백성들의 피를 빨아 긁어모은 양곡과 피륙을 돌려줄 것이니, 빼앗긴 사람은 곧 와서 받아가도록 하시오!"

가짜 암행어사

금화 관가에는 광마다 백성들로부터 빼앗은 재물이 가득 쌓여 있었다. 다음 날 아침, 고을에는 이 소문이 쫙 퍼졌다. 억울하게 재물을 빼앗겼던 사람들이 줄을 지어 몰려들었다. 활빈당원들은 그들에게 재물을 나누어 주었다.

그런데 그 시간이 거의 한나절이 걸렸다. 백성들은 활빈당을 구세주처럼 믿게 되었다. 마을의 노인들은 모여 앉기만 하면 활빈당을 칭찬하느라 침이 말랐다.

그렇게 해서 활빈당과 홍길동의 이름은 널리널리 퍼졌다. 그러나 길동은 그런 소문은 전혀 모르고 있었다. 하루하루를 매우 바쁘게 보내고 있었다. 그는 이번에는 함경도로 가기로 결정하였다.

"요즘 함경 감사가 백성의 재물을 마구 빼앗아 백성들이 도탄에 빠져 있다고 하니, 그냥 두고 볼 수가 없다. 이번에는 함경 감영을 치기로 한다."

길동은 부하들에게 이렇게 말하고 계책을 세웠다.

"한 사람씩 숨어 들어가서 초하룻날 자정에 남문 밖에 모이도록 하라!"

길동은 마숙을 대장으로 삼아 함경도로 들어가라고 하였다. 활빈당원들은 장사꾼이나 농사꾼, 또는 나그네로 변장하고 함경도로 떠났다.

약속한 날이 되자, 활빈당원들은 함경 감영 남문 밖에 모여들었다. 한밤중이라 다른 사람들은 없었다. 그 때 어디선가,

"불이야!"

하는 소리가 들려왔다. 그러자 또 다른 쪽에서도 불이야 소리가 크게 났다. 사람들이 서성거리고 있었다. 그 사람들은 모두 활빈당원들이었다.

"불이야!"

사람들은 왔다갔다 하고, 불은 삽시간에 번져 하늘이 시뻘개졌다.

감사는 이 날도 밤 깊은 줄도 모르고 술을 마시고 있다가,

남문 밖이 온통 불바다라는 보고를 듣고, 불을 끄라는 명령을 내렸다. 벼슬아치는 물론이고, 백성들까지 동원되어 불을 끄기에 바빴다.

"자, 어서 성 안으로 들어가자!"

길동의 지휘로 수백 명의 활빈당원들은 한꺼번에 성 안으로 들어가, 창고를 부수고 전곡과 군기를 싣고, 재빨리 북문으로 빠져나갔다.

성 안의 백성들은 이것을 보고 깜짝 놀랐다. 남문 밖의 불로 한참 소란한 중에, 전곡과 군기가 북문으로 실려 나가고 있으니 무슨 영문인지 몰랐다. 혹시 전쟁이라도 일어난 것이 아닌가 하고 벌벌 떨었다. 한편 남문 밖의 불을 끄고 성 안으로 돌아온 사람들은 놀라지 않을 수 없었다. 창고란 창고는 모두 텅텅 비어 있었기 때문이었다.

감사는 소리소리 지르며 얼른 범인을 잡아들이라고 독촉을 하였다. 그러나 나졸들은 어디 가서 누구를 잡아들여야 할지 알 수가 없었다.

"무얼 우물쭈물하고 있느냐? 그까짓 도둑 하나 잡아들이지 못하고……."

감사의 호령이 하도 심하여, 나졸들은 무장을 하고 나와 돌아다녔으나, 도둑은 못 잡고 다만 북문에 나붙은 방을 떼어 가지고 돌아왔다.

"뭐라고? 홍길동의 짓이라고!"

감사는 그 방을 보고 소리를 질렀다.

'함경 감사는 탐관오리로 백성들의 피를 빨아 백성을 도탄에 빠지게 한지라, 활빈당이 그 불의의 재물을 가져가노라!

활빈당 행수 홍길동'

"아니, 홍길동이 함경도까지 왔다는 말인가?"

감사는 벌벌 떨며 어쩔 줄을 몰랐다. 홍길동 이야기를 들은 것이 어제 같은데 벌써 함경도까지 오다니, 언제 어떻게 봉변을 당할지 모르기

때문이었다.

다음 날 아침, 성 안팎의 백성들은 홍길동이 함경도에 나타났다는 말을 듣고 모두 기뻐하였다. 백성들은 홍길동의 출현을 가슴 깊이 환영하였다.

하늘이 내린 사람

그 무렵, 벼슬아치들의 등쌀에 견디다 못한 농사꾼들과 똑똑한 젊은 이들이 관가에 반감을 품고 산으로 들어가 도둑이 되는 일이 많았다. 그들은 10여 명씩, 혹은 수십 명씩 작당을 하여 순전히 도둑질만 해서 먹고 살았다.

이런 무리들이 조선 팔도 어디를 가나 없는 곳이 없었다.

그런데 홍길동과 활빈당이라는 이름이 한번 알려지자, 그들은 모두 홍길동을 하늘이 내린 사람으로 알게 되었다.

"활빈당에 가담하면, 도둑질을 안 하고도 배불리 먹을 수 있다는데 그게 사실인가?"

"홍길동은 금강산에서 나온 열아홉 살 먹은 장사라는데, 사실이 그렇다면 그 사람이야말로 우리 백성을 구해 주기 위해 하늘이 내린 사람이 아닌가!"

"민심이 천심이라더니, 하늘이 무심하지 않다면 홍길동 같은 의인을 한 사람쯤 내려 주실 만도 하지 않나!"

"우리도 홍길동 장군이나 찾아가 볼까?"

이렇게 도둑의 무리들 사이에서는 홍길동이라는 이름이 자꾸 퍼져 나갔다. 거기에는 이유가 있었다. 백여 명의 활빈당원들은 전국 각지를 찾아다니며 홍길동의 뜻을 널리 선전하였다. 그래서 자기의 잘못을 깨달은 도둑들은 제 발로 길동을 찾아오기도 하고, 어떤 자는 자기가 홍길동이라고 뽐내기도 하였다.

어느 날이었다. 이 날도 길동은 백성들의 형편을 살피고 저녁에야 산으로 돌아오고 있었다. 그런데 갑자기 장정 셋이서 긴 칼을 번득이며 뛰어나와 길동을 앞뒤로 에워싸고 호령을 하였다.

"돈만 내놓으면 목숨은 살려 줄 테니, 등에 짊어지고 있는 보따리를 내려놓아라."

"당신들은 나를 장사꾼으로 알고 있는 것 같은데, 나는 장사꾼이 아니오!"

"이놈아, 돈을 내놓으라면 내놓을 것이지, 무슨 잔소리가 그렇게 많으냐?"

"돈이 탐나거든 관가로 갈 것이지, 나 같은 사람을 괴롭혀서 무슨 소용이 있단 말이오?"

그러나 그들은 칼을 휘두르며 다가왔다.

"칼은 함부로 쓰는 것이 아니오. 어서 거두시오."

"뭐라고? 건방진 놈 같으니. 지금 누구를 훈계하는 거야? 따끔한 맛좀 봐라."

말을 마치고는 뒤에 섰던 자가 칼을 번쩍 들더니, 길동의 머리를 향해 힘껏 내리쳤다. 번개같이 빠른 칼이었다.

"앗!"

길동은 깜짝 놀라 몸을 날려 칼을 피하였다. 그리고는 자기를 해치려던 칼을 잽싸게 빼앗아 들었다. 정말 눈 깜짝할 사이의 일이었다.

"으응, 제법인데!"

그 도둑은 깜짝 놀랐고, 나머지 두 명이 정면으로 길동을 겨누었다. 그러나 길동은 빼앗은 칼로 땅을 짚고 서서 말하였다.

"당신들은 죄 없는 사람을 죽이기 위하여 검술을 배웠단 말이오? 그만한 재주가 있으면서 왜 올바르게 쓸 생각을 안 하시오?"

사실 길동은 그자의 칼 솜씨에 내심 놀랐다. 정말 보기 드문 솜씨였다.

길동의 충고가 도둑들의 귀에 들어갈 리가 없었다. 칼을 빼앗긴 그들은 약이 올라서, 이번에는 양쪽에서 동시에 덤벼들었다.

길동은 다시 한 번 몸을 날려, 왼쪽 칼을 피하면서 빼앗아 들었던 칼로 오른쪽에서 덤벼드는 자의 칼 허리를 휙! 후려쳤다. 길동에게 얻어맞은 칼은 두 동강이 났다.

세 도둑은 크게 놀랐다. 그래도 검술에는 자신이 있다고 자부했었는데, 정작 겨루어 보니 자신들은 어림도 없다는 사실을 깨달은 것이다.

그래도 그들은 분함을 이기지 못하고, 길동을 에워싸고 아직 남아 있는 한 자루의 칼을 겨누었다. 그러나 이미 기가 질려 버린 도둑들은, 감히 덤벼들지는 못하고, 길동을 노려 본 채 씩씩거리고만 있었다.

"당신들이 살기가 어려워 도둑이 되었다는 것을 나도 잘 알고 있소. 그러나 관가에 시달리고 있는 백성들을 당신들까지 나서서 괴롭힌다는 것은 큰 잘못이오. 당신들도 생각해 보시오. 백성들에게 무슨 돈이 있다고 그들의 재물을 노리는 것이오?"

"그러면 우리보고 굶어 죽으란 말이오?"

"나만 따라오시오. 그러면 도둑질 하지 않고도 먹고 살게 해 주겠소. 하지만 놀고 먹을 생각은 하지 마시오."

"놀고 먹지 않으면 대체 무슨 일을 한단 말이오?"

"농사를 지어야 하오."

"우리는 원래 농사를 지어먹던 사람들이니까 농사일은 어렵지 않지만, 대체 당신은 누구요?"

"나는 활빈당 행수 홍길동이오."

홍길동이라는 말을 들은 세 도둑은 기겁을 하고, 그 자리에 무릎을 꿇고 앉았다.

"저희가 어리석어 장군님을 몰라보고 버릇없이 덤볐으니, 제발 목숨만은 살려 주십시오."

길동은 세 도둑을 일으켜 세웠다. 그들은 길동에게 자신들을 거두어 달라고 애원하였다. 길동은 그들과 그의 동료들 10여 명을 기꺼이 맞아들이기로 하였다. 그들은 홍길동이 하늘에서 내려온 사람이라고 굳게 믿고 있었다.

문경 새재를 본거지로 삼고 가짜 홍길동 행세를 하던 큰도둑 김지도 부하 70여 명을 데리고 활빈당으로 들어왔다. 길동은 김지에게도 마숙과 같이 부하들을 감독하는 직책을 주었다. 길동은 부하들을 훈련시키랴, 백성들의 형편을 살피랴, 전국 각지에서 몰려오는 동지들을 만나 보랴 매우 바쁜 나날을 보냈다.

감사 혼내 주기

길동은 각 고을로 민심을 살피러 돌아다니다가, 드디어 백성들의 원성이 높고 피해가 심한 충청 감영을 치기로 하였다. 충청 감사는 어찌나 욕심이 많고 맘보가 고약한지, 충청도 사람이라면 누구든지 그를 싫어하였다.

그가 감사로 내려온 지 3년 동안에 한 일이라고는 돈냥이나 갖고 있는 백성을 잡아다가 두들겨 패고 재물을 빼앗고, 또 남의 집 처녀와 부인을 빼앗은 일밖에 없었다.

또, 송사를 할 때에는 뒷구멍으로 돈을 갖다 바치는 사람이 이기고,

아무리 잘못이 없더라도 돈을 바치지 않으면 곤장을 맞고 벌을 받았다. 충청 감사 밑에는 못된 이방이 있었다. 그는 몸집이 작고, 얼굴은 꼭 생쥐같이 생겼는데, 감사와는 손발이 척척 맞았다.

진천에 살고 있는 이 좌수라는 사람에게 열일곱 살 먹은 딸이 있었는데, 인물이 무척 예뻤다.

이것을 본 충청 감사는 탐이 나서, 이방에게 이 좌수의 막내딸을 데리고 오라고 하였다. 이 말을 전해들은 이 좌수는 물론 거절을 하였다. 차라리 자기를 죽이고 데려가라고 하였다. 그러자 감사는 다시 이방을 보내, 순순히 말을 듣지 않으면 사령들을 보내어 잡아가겠다고 협박을 하였다. 그래도 이 좌수는 거절을 하였다.

감사는 화가 나서 이렇게 명을 내렸다.

"아비와 딸년을 잡아다가 아비는 옥에 가두고, 딸년은 우리 집으로 보내거라!"

이 때 마침, 길동은 민정을 살피고 돌아오는 길에 진천 땅에 들러 이곳 저곳을 돌아다니고 있었다. 그런데 한 집에서 울음소리가 들렸다. 처음에는 초상집인 줄 알았는데, 초상집은 아닌 것 같았다.

길동은 걸음을 멈추고 귀를 기울였다.

"어이구, 분하고 억울해라! 그놈이, 그 몹쓸 놈이 필경은 내 자식을, 내 딸자식을…… 어이구, 원통해라……."

노인 하나가 서럽게 울고 있었다.

길동은 그 집으로 가서 노인을 만나 이유를 물었다.

"우연히 이 앞을 지나가다가 댁에서 울음소리가 들리기에, 무슨 원통한 일이 있으신 것 같아서 이야기를 좀 들어 보려고 왔습니다. 무슨 곡절이 있으신가요?"

노인은 울음을 그치더니, 한참 생각에 잠겨 있었다. 그러더니 안으로 들어가자고 하였다.

방으로 들어간 노인은 이야기를 시작하였다.

"내게 열일곱 살 먹은 딸자식이 있습니다. 그런데 충청 감사가 그 아이를 바치라고 하는 겁니다. 이런 원통하고 분한 일이 어디 있습니까?"

노인은 충청 감사의 행패를 자세히 이야기해 주었다.

길동은 이미 충청 감사가 못된 짓을 일삼는다는 것을 알고 있었기에, 어떻게 해서든지 불쌍한 백성들을 도와야겠다고 생각하였다.

"힘은 없지만, 제가 나서서 해결해 보겠습니다."

"그렇게만 해 주신다면, 은혜를 잊지 않겠습니다."

길동은 노인에게 이방이 찾아오면 닷새의 말미를 얻어 두라고 부탁하였다. 그 뒤는 자기가 알아서 하겠다고 하였다.

노인은 이 젊은이에게 믿음이 갔다.

"그런데 댁은 누구신지요?"

"저는 활빈당 행수 홍길동입니다."

"뭐요, 홍길동!"

노인은 홍길동이라는 말을 듣고는 깜짝 놀라 소리를 질렀다.

길동은 이 일을 아무한테도 이야기하지 말라고 당부하였다. 노인은 길동 앞에 큰절을 하였다. 길동은 그 집에서 나와 충청 감영을 자세히 살핀 다음 산으로 돌아왔다. 길동은 마숙과 김지를 불러 충청 감영을 칠 계획을 세웠다.

"잘되었습니다. 그렇지 않아도 그 곳 사또의 행패가 심해서 이 곳으로 온 사람한테 이야기를 들었습니다. 그 단원이 이를 갈고 있습니다."

김지가 말하였다.

"그렇지만 그 곳에는 군사들이 많아 얕볼 수 없습니다."

마숙이 신중하게 말하였다.

길동은 두 사람의 이야기를 듣고 있다가 결정을 내렸다.

"그럼 보름날 밤, 자정에 충청 감영을 치기로 한다. 한 부대는 마숙 부장이 이끌고, 또 한 부대는 김지 부장이 이끌되, 대원은 각각 50명씩으로 한다."

"알겠습니다."

"마숙 부장은 동문으로, 김지 부장은 북문을 맡아 내가 횃불을 밝히거든 일제히 부하를 이끌고 공격한다."

마숙과 김지는 각각 숙소로 가서 이번 거사에 동원할 단원의 명단을 작성하였다.

드디어 그 날이 왔다. 마숙과 김지는 각각 대원들을 이끌고 충청 감영으로 숨어 들어갔다. 탐관오리에게 뜯길 대로 뜯기고 시달릴 대로 시달린 대원들이라서, 이날 밤의 거사는 사기가 하늘을 찔렀다.

길동은 자신이 지시한 장소를 돌아다니며, 대원들의 집합 상황을 살피고 사기를 북돋아 주었다.

몇 시간이 흘렀는지 모른다. 갑자기 동헌 용마루 한복판에서 횃불이 활활 타올랐다.

"횃불이다. 행수님의 신호다!"

순간, 동문과 북문 가까이에 잠복해 있던 활빈당 당원들이 일제히 번개치듯 두 대문으로 밀려들었다. 꾸벅꾸벅 졸고 있던 문지기들은 미처 놀랄 겨를도 없었다. 소리도 지를 사이 없이 재갈이 물려지고, 손발이 꽁꽁 묶였다.

그뿐 아니었다. 관아에 있던 관속들도 모조리 활빈당원들에게 묶이고, 땅바닥에 넓죽 엎드려 손을 싹싹 빌며 살려달라고 애걸복걸하였다.

평소에 사또를 믿고 거들먹거리고 으스대던 관속들이지만, 정작 일을 당하고 보니 사또야 죽든 말든 자기 목숨 보존하기에만 바빴다. 워낙 썩어 빠진 관속들인지라, 나와서 싸우려는 자가 하나도 없었다.

동헌 용마루 위에 횃불을 밝혀 들었던 길동은, 대원들이 두 대문으로 기운차게 쳐들어오는 모양을 보고, 횃불을 손에 든 채 다섯 길이 넘는 기왓골에서 안마당 한복판으로 나는 듯이 뛰어내렸다. 그리고는 높다란 나뭇가지에 횃불을 걸어 놓고 말하였다.

"붙잡은 자들을 모두 비어 있는 곳간에 가두어라!"

길동은 단원 두 사람을 데리고 사또를 잡으러 내아로 들어갔다. 간밤에 늦게까지 술을 마시다가 기생을 데리고 잠이 든 사또는, 바깥 마당에서 난리가 난 줄도 모르고 자고 있었다.

"이놈아, 밖에는 난리가 났는데 팔자 좋게 잠만 자느냐?"

"저것도 사또라고? 한심한 노릇이다!"

활빈당원 한 사람이 사또의 뺨을 한 대 호되게 갈겼다. 술이 잔뜩 취한 사또는, 잠을 깨우는 사람이 부하인 줄 알았는지, 잠결에도 호령하는 버릇만은 남아 있어서,

"어느 놈이 시끄럽게 이러느냐! 냉큼 물러가지 못할까!"

하고 큰 소리를 쳤다.

"아니, 이 친구가 누군 줄 알고 호령이야. 아직 잠이 덜 깬 모양이군!"

대원 한 사람이 이번에는 주먹으로 이마를 때렸다.

"어느 놈이 감히……."

사또는 몹시 아픈지 그 때서야 눈을 번쩍 떴다. 눈앞의 광경을 파악한 사또는 알몸으로 꿇어 엎드려 싹싹 빌었다.

"재물은 다 가져가도 좋으니 목숨만 살려 주십시오."

길동은 너무 어이가 없어서 너털웃음을 웃었다.

"이놈아, 우리가 너처럼 재물에 환장을 한 줄 아느냐? 우리는 너 같은 탐관오리를 없애고 세상을 바로잡으려는 활빈당원이다! 이 분은 활빈당 행수 홍길동 어른이시다."

"예? 홍길동?"

사또는 사시나무 떨듯, 몸을 부들부들 떨며 말도 제대로 하지 못하였다. 그는 의적 홍길동에 대한 이야기를 이미 들어 알고 있었다.

"사또, 어서 옷이나 입으시오. 사또 체면에 그게 무슨 꼴이오?"

사또는 얼이 빠져 옷도 제대로 입지 못하고 수선을 떨었다.

"우리 활빈당은 사람을 죽이지 않소. 그러니 염려 말고 어서 밖으로 나갑시다."

길동이 사또를 앞세우고 밖으로 나오니, 단원들은 이미 관속들을 곳간에 잡아 가두고 대문을 지키고 있었다.

길동은 사또가 앉는 자리에 올라앉아, 사또를 형틀에 올려 매고 사또의 말투를 흉내내어 말하였다.

"네 죄를 네가 알렷다!"

"그저 목숨만 살려⋯⋯."

사또는 벌벌 떨며 말도 제대로 하지 못하였다.

"그대의 죄로 따지자면 백번 죽여 마땅하나, 내가 살생을 원하지 않는지라 목숨만은 살려 주겠다. 그러나 아무 죄 없는 백성들에게 악형을 가하는 것이 얼마나 가혹한 것인가를 그대에게 알려 주기 위해, 곤장 맛을 보여 주마!"

길동은 단원들에게 사또의 볼기를 때리게 하였다.

사또는 몇 대 맞지도 않고 죽는 시늉을 하였다.

"이놈아, 엄살 부리지 마라. 그래, 곤장 맛이 어떠냐? 견딜 만하냐?"

"죽을 죄를 지었습니다. 한 번만 용서해 주십시오."

"네 죄를 네 입으로 한번 말해 보아라!"

사또는 무슨 말을 해야 할지 잠깐 생각하는 모양이었다. 길동은 대신 말해 주겠다고 하며, 조목조목 그의 죄를 이야기하였다. 사또는 모두 시인을 하였다.

"아녀자를 희롱한 죄 또한 크도다!"

"네, 다시는 그런 짓 하지 않겠습니다."

"그리고 진천에 사는 이 좌수의 따님을 넘본 죄는 어찌하려느냐?"

"살려만 주신다면 다음부터는 그런 일 절대로 없을 겁니다."

길동은 마숙에게 말하였다.

"관속들과 마찬가지로 이자도 곳간에 가두어라."

길동은 손수 곡식과 피륙이 들어 있는 곳간 문들을 열어 보았다. 그리고 놀라지 않을 수 없었다. 백성들은 굶주림에 아우성을 치는데, 사또의 곳간에는 웬 곡식이 이리도 많이 썩어 가고 있는 것인가! 백성들은 헐벗고 있는데, 사또의 곳간에는 웬 피륙이 이리 넘친단 말인가!

길동은 어이가 없어 말이 안 나올 지경이었다. 길동은 이 재물을 죄 없이 빼앗긴 백성들에게 돌려주라고 하였다. 그러나 누가 얼마만큼의 재물을 빼앗겼는지 몰랐다. 길동은 사또를 불러내어 스스로 방을 쓰게 하였다.

"사또는 이제부터 내가 부르는 대로 이 종이에 적어라."

사또는 길동이 부르는 대로, 나쁜 정사를 하여 백성들을 괴롭힌 점을 크게 사과하고, 재물을 빼앗긴 백성들은 곧 관가로 와서 찾아가라고 크게 썼다.

길동은 그 방을 고을 한복판에 붙이게 한 뒤, 백성들에게 재물을 나누어 줄 준비를 하였다.

날이 밝았다.

길동과 활빈당원들은 곳간 문을 활짝 열어 놓고, 백성들이 오기를 기다렸다. 마을 사람들이 놀라서 수군거렸다.

"저게 웬일이야! 우리를 모조리 죽이려고 부르는 것 아닐까?"

"악독한 사또가 죽기라도 했나?"

"암만 생각해도 수상쩍은데."

"그래도 안 갈 수 없지 않은가? 안 가면 또 안 갔다고 곤장을 치면 어떡하나?"

마을 사람들이 한 곳에 모여 쑥덕공론이 한창인데, 더벅머리 총각이 헐레벌떡 달려와 말하였다.

"홍길동 장군이 나타났대요, 홍길동 장군이!"

"뭐라고? 홍길동 장군이?"

"네, 간밤에 홍길동 장군이 부하들을 이끌고 감영에 나타나 쑥대밭을 만들었대요."

"그렇다면 우물쭈물할 것 없이 어서 감영으로 갑시다."

"홍길동 장군 만세!"

"활빈당 만세!"

마을 사람들은 떼를 지어 감영으로 몰려갔다. 곡식 나누기는 해가 저물어서야 끝났다. 그 많은 재물을 하나도 남기지 않고 나눠 준 뒤에, 길동은 곳간에 가두었던 관속과 사또를 끌어내었다. 길동은 묶었던 오라를 풀어 주며 말하였다.

"백성들에게서 빼앗은 재물은 모두 돌려주었으니, 이제부터는 불의의 재물을 탐하지 말고 어진 사또가 되시오."

이렇게 당부한 뒤 길동은 당원들과 함께 산으로 돌아왔다.

막대한 현상금

하루는 길동이 세상 형편을 알아보기 위하여 혼자서 이 고을 저 고을로 돌아다니다가 연천 고을로 들어섰다. 그리고 어느 객줏집에서 저녁을 먹은 후 바람을 쐬러 거리로 나섰다.

'무슨 사람들이 저렇게 모여 있을까?'

길동은 혼자 중얼거리며 사람들이 모여 있는 어떤 집 앞으로 가 보았다. 그들은 벽에 붙어 있는 방을 보고 있었다. 길동은 호기심에 이끌려 사람들 틈에 끼어 방을 보다가 깜짝 놀랐다.

요즈음 홍길동이라는 자가 활빈당이라는 이름으로 많은 부하 도둑들을 거느리고 전국 각지에 나타나, 백성들의 재물을 빼앗고 사람을 마구 죽이고 있다. 그러므로 관아에서는 그 도둑들을 잡기 위하여 상금을 걸고 백성들의 협력을 바라는 터이니, 각자는 명심하여 협조하라!

一. 홍길동을 잡아 바치는 자에게 상금 1천 냥을 준다.

一. 홍길동의 소재를 알려 주는 자에게 상금 5백 냥을 준다.

一. 홍길동의 부하 도둑이나 활빈당원을 체포, 또는 그의 소재를 알려 주는 자에게는 공로에 따라 열 냥에서 1백 냥의 상금을 준다.

포도대장 이훈

방을 끝까지 읽고 난 길동은 다시 한 번 놀랐다.

'허! 내 목이 천 냥짜리인가 보다.'

그렇게 생각하며, 새삼 자기의 목을 만져 보았다. 그리고는 쓴웃음을 웃었다.

'뭐, 가난한 백성들의 재물을 빼앗고 사람을 마구 죽인다고? 적반하장도 유분수지.'

뻔뻔스러운 벼슬아치들의 얼굴이 떠올랐다. 죄 없는 백성을 잡아다가 곤장을 치고 재물을 빼앗는 천인공노할 사또들! 백성은 헐벗고 굶주려도 저희들은 날마다 호의호식하는 양반들!

길동은 그 사람들의 얼굴이 스쳐가자, 못 볼 것이나 본 듯이 고개를 저었다. 그리고 다시 한 번 살기 좋은 세상을 만들어야겠다고 굳게 다짐하였다.

방을 읽은 사람들은 천 냥이라는 엄청난 현상금에 구미가 당기는 모양이었다.

"홍길동이만 잡으면 팔자를 고치겠는걸."

"이 사람아, 어림없는 소리 작작 하게. 날고 뛰는 포교들도 홍길동을 잡을 수 없어서 상금을 걸었는데, 우리가 무슨 재주로 홍길동을 잡는단 말인가?"

길동은 슬그머니 그 곳에서 빠져나와 객줏집을 향하였다.

그 때 방 앞에 서 있던 세 젊은이가 같은 방향으로 걸어오며 방에 대한 이야기를 하고 있었다. 길동은 그들이 방에 대해서 어떻게 생각하고 있나 궁금하여 슬며시 말을 건넸다.

"홍길동이라는 도둑놈이 그렇게 나쁜 놈인가요?"

그러자 세 젊은이는 일제히 길동을 쏘아보며 말하였다.

"당신은 아직도 홍길동이 누군지 모르시오?"

"방을 읽어보니 가난한 백성의 재물을 빼앗고, 죄 없는 백성들을 마구 죽이는 큰 도둑이라고 씌어 있던데요."

"허, 무식한 사람 다 보겠군! 당신이 어디 사는 누구인지 모르지만, 그래 밥은 먹고 사시오?"

"밥을 굶고 어떻게 살겠소?"

"어디서 무엇을 해먹고 사는 백성인지 모르지만, 어찌 홍길동 장군을 모르시오?"

"장군? 도둑의 괴수가 무슨 장군이란 말이오?"

"홍길동이라는 사람이 예사 도둑인 줄 아시오?"

"도둑놈이 다 같은 도둑놈이지, 예사 도둑놈이 아니라면 대체 무슨 도둑이라는 말이오?"

"그렇다면 당신은 홍길동을 보기만 하면 관가에 잡아 바치겠다는 말이구려."

"그야 물론이지요. 상금을 천 냥씩이나 준다는데, 누군들 안 잡아 바칠까요?"

그 말을 듣자 세 젊은이는 갑자기 길동에게 달려들어 두 팔을 꽉 잡고는,

"어디서 빌어먹던 놈인지는 모르지만 저기로 좀 가자!"

하고 마구 잡아끌었다. 단단히 혼을 내려는 기색이었다.

길동은 순순히 끌려갔다.

길동이 젊은이들에 의해 끌려간 곳은 으슥한 숲이었다. 거기서 세 젊은이는 길동을 삥 둘러싸더니 한마디씩 호통을 쳤다. 여차하면 때려죽일 듯 험악한 분위기였다. 사태가 이렇게 되자, 길동도 생각을 달리할 수밖에 없었다. 잘못했다가는 같은 편끼리 큰 싸움이 벌어질지도 모르는 일이었다. 그래서 길동은 세 사람 앞에 썩 나서며 말하였다.

"여러분, 잠깐만 제 말 좀 들어 보십시오."

"그래도 할 말이 있긴 있는 모양이군. 그래, 죽기 전에 남길 말이나 해 보아라. 죽는 사람의 마지막 말을 안 들어 줄 수야 없지."

"여러분이 홍길동이라는 사람을 그처럼 깊이 이해해 주시니 고맙기

그지없습니다."

"뭐야? 이해해 줘서 고마워! 그게 무슨 소리냐? 이제 죽게 되니까 정신이 오락가락하는 게냐?"

"아닙니다. 정말 여러분께 감사를 드립니다. 사실은 제가 홍길동입니다."

"뭐라고? 네가 홍길동이라고? 이제 보니 이놈 정말 미친놈이네. 허튼소리 하지 말고 죽을 채비나 하거라. 감히 어디서 홍길동 장군의 이름을 더럽히려 드느냐?"

세 사람은 돌아가며 길동을 윽박질렀다. 그러나 길동은 침착하게 말하였다.

"여러분이 나를 의심하는 것은 당연합니다. 그러나 내가 활빈당 행수 홍길동인 것만은 틀림없습니다."

하지만 그들은 믿지 않고 증거를 보이라고 하였다.

하지만 호패를 가지고 다니는 것도 아니어서 증명할 길이 없었다. 그들은 길동이 자신들을 농락한다고 생각하였다. 그들은 앞뒤에서 동시에 길동을 향하여 덤벼들었다. 길동은 번개같이 몸을 날려 그들의 주먹을 피하였다. 가만히 있다가는 세 사람에게 매를 맞아 다칠지도 모르는 일이었다.

"여러분이 그렇게까지 나를 의심한다면 내가 홍길동이라는 걸 증명해 주겠소."

"그래, 좋다. 어떻게 증명해 보이겠느냐?"

"세 분이 나를 둘러싸고 얼마든지 덤벼들어 보시오. 나는 한 대도 맞지 않을 자신이 있습니다."

"뭐라고? 한 대도 맞지 않을 자신이 있다고?"

"그렇소. 덤벼 보시오."

"맞아 죽어도 우리를 원망하지 말거라!"

한 사람이 길동에게 덤벼들자, 나머지 두 사람도 한꺼번에 공격을 하였다. 그러나 아무리 앞뒤에서 맹렬히 덤벼 보아도 길동을 한 대도 때려 볼 수 없었다. 금방 앞에 서 있는 것을 보고 셋이 한꺼번에 덤벼들면, 길동은 눈 깜짝할 새에 몸을 훌쩍 날려 저만큼 가서 우뚝 서 있곤 하였다. 그들은 이제 그가 정말 홍길동이라고 믿는 것 같았다. 세 사람은 저희들끼리 한참 무슨 말을 주고받다가, 길동 앞에 넓죽 엎드리며 말하였다.

"홍 장군님! 저희가 몰라뵙고 죽을 죄를 지었습니다. 용서해 주십시오."

"아니오. 오늘 당신들같이 좋은 친구를 만나 몹시 기쁩니다. 어서들 일어나십시오."

길동은 세 사람을 일으켜 주었다.

"황송한 말씀인데 저희는 오래 전부터 장군님을 모시고 싶었는데 기회가 없었습니다. 오늘 이렇게 하늘이 장군님을 만나게 해 주었으니, 부디 저희를 거두어 주십시오."

"고맙습니다. 여러분이 활빈당이 되어 준다면, 나로서는 그보다 더 큰 기쁨이 없겠습니다."

길동은 그들과 뜻을 같이한다는 친구 10여 명도 같이 받아들이기로 약속하고 객줏집으로 돌아왔다.

호랑이 포교의 굴복

길동은 저녁을 먹고 바람을 쐴 겸 밖으로 나왔다. 몹시 더웠기 때문이었다. 그 사이에 객줏집에 손님이 찾아들었다.

그는 키가 매우 크고 몸집이 뚱뚱한 포교였다. 이 사람은 맨손으로 호랑이를 때려잡았다 하여 '호랑이 포교'로 통하는 사람이었다. 그가 객줏집 주인에게 말하였다.

"마침 지나가던 길에 술 생각이 나서 들렀소. 한잔 주시오."

"어서 마루로 오르십시오."

호랑이 포교는 수건으로 땀을 닦으며 마루로 올라왔다. 얼마 후에 술상이 나왔다.

"어서 드시지요. 목이 마르실 텐데."

주인이 권하자, 호랑이 포교는 한 사발 가득 따른 술을 단숨에 들이마셨다.

"어이 시원하군. 강 서방한테 늘 술을 얻어먹어 미안하오. 그런데 머지않아 돈이 생길 테니, 그 때는 내가 톡톡히 한잔 사리다. 하하하!"

포교는 무슨 좋은 일이 있는지 껄껄 웃었다.

"돈이 생긴다니 반가운 일입니다. 그래, 무슨 좋은 수라도 생깁니까?"

"좋은 수가 생기고말고."

강 서방이 궁금해하자 포교는 이렇게 말하였다.

"강 서방도 홍길동을 붙잡으면 상금 천 냥을 준다는 방이 붙은 것을 보았을 테지?"

"그 말은 들었지만, 홍길동은 날고 기는 재주가 있다는데, 그런 사람을 잡을 수 있겠습니까?"

"다른 사람이라면 어림없지. 그렇지만 나한테 걸리기만 하면 아무리 홍길동이라고 하더라도 꼼짝할 수 없을 걸세."

"그런데 포교님! 홍길동이 대체 어떻게 생겼습니까? 알아야 관가에 알리거나 붙잡거나 할 것 아닙니까?"

"응, 나이는 20세쯤 되었고, 키는 나처럼 훤칠하니 크고, 제법 장골로 생긴 모양이야. 그리고 서울 말씨를 쓴다고 하니, 만약 그런 사람이 주막에 들거든 나한테 슬그머니 알려 주게."

"네? 그런 손님이라면 바로 오늘 밤에 우리 집에 들었는데요."

호랑이 포교는 깜짝 놀라, 목소리를 낮추고 말하였다.

"그 손님이 어느 방에 들어 있나?"

"네, 저 방인데요. 조금 전에 저녁 먹고 아마 산책을 나간 모양입니다."

"음, 하룻밤에 천 리를 간다더니 여기 나타난 놈이 정말 홍길동이라면 헛소문이 아니군."

"뭐, 축지법인가 뭔가 하는 것을 써서, 가고 싶은 데를 마음대로 간다고 하던데요."

마침 그 때, 문밖에서 인기척이 나더니 어둠 속에서 길동이 나타났다. 주인은 길동을 보자, 포교에게 눈짓으로 알려 주었다. 아무것도 모르는 길동은 자기 방으로 들어가려다가 대청마루 앞으로 와서,

"미안합니다만 물 한 그릇만 주십시오!"

하고 서울 말씨로 말하였다.

주인이 물을 뜨러 간 사이 포교는 길동의 행색을 날카롭게 살펴보았다.

'음, 어느 모로 보나 홍길동임에 틀림없어.'

호랑이 포교는 이만저만 흥분이 되는 것이 아니었다. 상금 천 냥이 금방 굴러들어올 것 같아 가슴이 두근거렸다.

주인이 떠다 준 물을 마시고 길동이 방으로 들어가자, 포교는 주인에게 술을 따라 주었다.

"확실하니까 안심해도 좋아."

호랑이 포교는 홍길동이 자기 손안에 잡힌 거나 마찬가지라고 큰소리를 쳤다. 이윽고 포교는 자리에서 일어나, 거만스럽게 웃어 보이고는 길동이 있는 방문 앞으로 걸어갔다.

"산적 홍길동은 나와서 오라(죄인을 묶을 때 쓰던 붉은 줄)를 받아라!"

호랑이 포교가 큰 소리로 호령을 하였다. 그러나 안에서는 대꾸가 없었다.

"썩 나오지 못할까! 순순히 오라를 받지 않으면 너를 묵사발을 만들어 끌어낼 것이다."

포교는 말은 그렇게 하면서도 방 안에 들어가 끌어내지는 못하였다. 처음에는 관가에 가서 포졸들을 데리고 올까 생각도 하였지만, 상금을 독차지하고 싶은 욕심에 알리지 않았던 것이다. 게다가 호랑이를 맨손으로 때려잡은 몸인데, 제까짓 홍길동이 힘이 세면 얼마나 세겠느냐고 깔보는 마음도 있었다.

"누가 이 밤중에 소란을 피우느냐. 잠을 자려 해도 시끄러워서 어디 자겠느냐? 썩 물러가지 못할까!"

길동은 포교를 꾸짖었다.

"이놈이 되레 큰소릴세. 이놈아, 어서 나와 오라를 받지 못할까?"

"오라를 받으라니! 나는 죄인이 아니오. 사람을 잘못 본 게 틀림없으니, 어서 물러가시오."

"네가 천하의 대적 홍길동이 틀림없으렷다."

호랑이 포교는 다시 한 번 엄포를 놓았다.

"홍길동임에는 틀림없으나, 천하의 대적은 아니오!"

길동은 태연스럽게 말하였다.

"그러니, 잔소리 말고 어서 나와 오라를 받아라!"

"글쎄, 나는 죄 지은 일이 없다고 하지 않소. 죄가 없는데 어째 오라를 받겠소!"

"잔소리 말고 썩 나오지 못할까?"

"진짜 도둑을 잡으려면 관가로 가서 대낮에 죄 없는 백성들의 등을 쳐 먹는 양반 도둑을 잡으시오. 그러면 아마도 백성들이 당신을 존경하고 상금을 천 냥 아니라 만 냥이라도 줄 것이오. 그렇게 되면 꿩 먹고 알 먹는 것 아니오?"

"이놈이 보자보자 하니 못하는 소리가 없구나. 너는 독 안에 든 쥐이니 어서 나와 항복을 하여라. 그렇지 않으면 죽음을 면치 못할 것이다."

"당치 않은 소리! 목숨이 아깝거든 타이를 때 순순히 물러가시오. 그렇지 않으면 다칠 것이오!"

호랑이 포교는 그 말을 듣고 부아가 났는지, 제 힘만 믿고 방 안으로 뛰어들었다. 그 바람에 방 안에 켜 놓은 등잔불이 꺼졌다. 그 순간 길동이 무슨 재주를 부렸는지, 포교는 무언가에 얻어맞고 요란한 소리를 내며 방바닥에 나가떨어졌다.

그뿐, 어둠 속은 다시 잠잠하였다. 잠깐 침묵이 흐른 뒤에 길동은 방문을 열고 주인을 불러 등잔불을 켜 달라고 하였다.

주인이 몸을 벌벌 떨며 등잔을 들고 들어와 보니, 조금 전까지 큰소리를 치던 호랑이 포교가 자기가 갖고 있던 포승에 꽁꽁 묶여 방 한 구석에 볼품없이 쓰러져 있었다.

"포교 나리, 이게 어찌 된 일입니까?"

주인은 호들갑을 떨었다.

"어서 관가에 가서 홍길동이 나타났다고 고하지 못할까?"

포교는 주인에게 호통을 쳤다.

"제가 홍길동 장군을 관가에 고해 바쳐요? 호랑이 포교님도 당하지 못한 홍 장군을 제가 어떻게……."

"자네가 못하겠으면 다른 사람이라도 보내면 되잖아!"

"감히 누가 그 일을……."

"주인장, 저 포교 나리의 말대로 하시오. 누가 아오? 상금 천 냥을 탈지, 하하하……."

길동이 웃으며 말하였다.

주인은 자기도 고자질한 죄가 있어 그런지 방바닥에 넓죽 엎드리며 살려 달라고 애걸하였다. 길동은 오히려 밤중에 소란스럽게 하여 미안하다고 하며 주인을 안심시켰다. 그리고 나서 아침에 자기가 떠나면 포교를 풀어 주라고 한 뒤 잠을 자려 하였다. 그러자 주인은 사과의 뜻으로 술상을 차려서 길동의 방으로 들여보냈다.

아침에 길동이 객줏집을 떠나 숲 속으로 들어가니, 거기에는 어제 약속한 젊은이들 10여 명이 각각 보따리를 짊어지고 길동을 기다리고 있었다.

"아, 저기 홍 장군이 오신다."

그 젊은이들 중 한 사람이 반가운 목소리로 말하였다.

"암만 기다려도 안 오셔서 혹시 우리를 버리고 가셨나 걱정하고 있던 참입니다."

나머지 사람들도 반가워하며 말하였다.

"기다리게 해서 미안하오. 이렇게 나를 따르는 동지들이 있어 마음이 든든합니다. 어서 갑시다. 포교들이 쫓아올지 모르니."

포교 이야기를 하자 의아해하는 젊은이들에게 길동은 어제 있었던 일을 이야기해 주었다. 그들은 힘만 믿고 큰소리친 호랑이 포교를 비웃었다. 젊은이들은 벼슬아치들의 행패에 대해 이야기를 주고받으며 길동을 따라 산속으로 들어갔다.

봉물짐 습격

홍길동을 잡으라는 방이 이 고을 저 고을에 나붙었다. 그와 함께 홍길동과 활빈당에 대한 소문도 빠르게 퍼져 나갔다. 길동은 가는 곳마다에서 자기의 이야기를 들을 수 있었다. 더구나 우스운 것은, 길동 자신이 눈앞에 뻔히 앉아 있는데도 그를 알아보지 못하는 시골 사람들이 하는 말이었다.

"홍길동이 어젯밤에도 황해도 배천에 나타나서 원님을 꽁꽁 묶고 볼기를 친 뒤에, 노략질해 모은 재물을 백성들에게 골고루 나누어 주었다는구먼."

"아니, 그저께 밤에는 충청도 서산에 나타났다더니 어느 새 황해도로 갔을까? 정말 홍길동은 사람이 아니라 귀신인가 보구먼!"

"홍길동은 축지법을 써서 하룻밤에 천 리를 간다는데, 충청도에서 황해도가 멀어서 못 가겠나?"

"어떻게 생긴 사람인지 한번 보기나 했으면 좋겠다!"

"홍길동은 무술도 뛰어나고 귀신같이 조화를 마음대로 부린다고 하니 잡히지는 않을 거야!"

이처럼 저마다 제멋대로 홍길동에 대한 소문을 퍼뜨리고 있었다. 홍길동은 백성들에게 영웅 대접을 받고 있었다.

어느 날, 경상도로 내려가 민심을 살피며 다니던 마숙 부장이 산으로 돌아왔다.

"행수님! 좋은 일이 있습니다. 머지않아 김천에서 봉물짐이 올라간다고 합니다."

마숙은 경상도 백성들의 형편을 이야기한 다음, 봉물짐이 서울로 올라간다는 보고를 하였다.

"우리 이번에는 봉물짐을 텁시다."

"글쎄······."

"글쎄라니요. 그것만 털면 우리 양식은 물론이고, 앞으로 큰일을 할 때 긴요하게 쓸 돈이 나올 텐데, 그걸 그냥 두시겠소? 망설일 필요 없습니다. 어차피 봉물은 백성들로부터 빼앗은 것 아닙니까? 어서 결정을 내려 주십시오."

봉물이란 1년에 한 번씩 임금의 생일을 맞아 각 고을의 벼슬아치들이 조정으로 올려 보내는 선물이다. 조정에서는 각 고을의 벼슬아치들이 보내온 봉물의 많고 적음과 그 값어치를 따져, 그 사람을 더 높은 자리로 올리기도 하고, 아주 형편없는 자리로 떨어뜨리기도 하였다. 그래서 각 지방의 벼슬아치들은 이 봉물 준비에 신경을 곤두세우는 것은 물론, 운반할 때에도 엄하게 경계를 하였다.

"좋소, 마숙 부장의 말대로 합시다. 그러기 위해서는 봉물짐이 떠나는 날과 따르는 군졸의 수, 도중에 묵게 되는 곳 등을 자세하게 알아 두어야 합니다."

"그건 문제없습니다. 제가 그 쪽 지리를 잘 아니까 다녀오겠습니다."

문경 새재의 산적 두목이었던 김지 부장이 앞으로 나서며 자신 있게 말하였다. 길동이 김지에게 허락을 하자 김지는 신이 나서 나갔다.

그 동안 길동은 마숙 부장과 봉물짐 털 일에 대해 만반의 준비를 하였다.

김지가 경상도로 떠난 지 여드레 만에 아주 자세한 정보를 가지고 산채로 돌아왔다. 김지의 보고에 따르면, 봉물짐은 이 달 10일에 김천 감영을 떠나며, 짐은 모두 다섯 꾸러미이고, 따르는 군졸은 20명, 그리고 이틀째 밤을 전곡 주막에서 묵어 간다는 것이었다.

"음, 그건 아주 절호의 기회요. 전곡 주막은 우리의 당원이 하는 곳이니 하늘의 보살핌이오."

길동은 김지에게 30명을 뽑아 따로 훈련을 시키라고 일렀다.

"그런 줄 알았으면 올라오는 길에 전곡 주막에 들러 주모에게 우리 계획을 알려 줄 걸 그랬습니다."

"아니오, 그 일은 내가 알아서 할 것이니, 김지 부장은 데려갈 부하들을 잘 훈련시키시오."

길동은 곧 주막으로 내려가 주모에게 이번 거사를 자세히 설명해 주었다.

"행수님, 잘 알았습니다. 그런 일이라면 아주 쉬운 일 아닙니까? 저에게 맡기시고 안심하십시오."

주모는 자신 있게 말하였다.

"만약에 실수라도 하면……."

"주모가 술을 파는데 누가 의심을 하겠습니까?"

"그것도 눈치껏 먹여야지, 잘못하다가는 의심을 살 것 아닌가?"

"염려 놓으십시오. 술장사 한두 해 했습니까."

"알겠네. 자네가 우리 일을 도우니 마음이 놓이네."

길동은 주모와 헤어져 산채로 돌아왔다.

한편, 봉물짐을 마련하는 김천 감영에서는 감사가 직접 나서서 짐을 꾸리느라고 법석을 떨었다. 감사는 일일이 물건을 챙기고 확인하였다. 그것도 몇 번씩이나 꺼내서 확인을 하고 다시 넣곤 하였다.

그래도 미심쩍어서 이렇게 묻곤 하였다.

"그 밖에 빠진 것이 없는지 잘 살펴보아라."

"이만하면 작년보다 갑절을 더 바치는 것 아닙니까?"

"그렇지. 그런데 이 봉물을 어떻게 한양까지 무사히 가져가지? 그것이 걱정이로다."

감사는 수염을 배배 꼬며 걱정을 하였다.

"요즈음 나라에 도둑이 들끓어 그야말로 인심이 어수선하기 짝이 없는데, 혹시 가다가 화적 떼라도 만나면 어떻게 하느냐?"

"화적 떼쯤이야 겁날 것 없습니다."

"화적 떼가 겁이 안 나면 무엇이 겁이 난다는 말이냐?"

"홍길동이라는 큰 도둑이 있어 백성들의 재물을 마구 빼앗는다는 소문이 돌고 있습니다. 혹시 그놈들이 나타나지나 않을까……."

"그 소문은 나도 들었다. 그렇지만 그놈도 도둑에 지나지 않을 테니, 그리 겁낼 것은 없다."

"그렇습니다. 더구나 지난번에 뽑은 장정은 우리 감영에서도 으뜸가는 씨름꾼들인데, 어찌 감히 도둑들이 덤비겠습니까?"

"봉물짐이 언제 올라간다는 것은 발설하지 않았겠지?"

"물론입니다. 가는 사람말고는 아무도 모릅니다."

"그래야지. 만일 도둑의 귀에 들어간다면 봉물짐을 노릴지도 모르니까 일절 발설하지 말도록 하여라."

마침내 봉물이 올라가는 날이 되었다. 감사는 호위군 대장인 병방을 불러 놓고 단단히 일렀다.

"이게 예사 짐이 아니라는 것은 병방도 잘 알 것이다. 그러니 각별히 조심하여, 가는 도중에 술은 일절 입에 대지 말 것이며, 조금이라도 방심해서는 안 된다."

"네, 명심하여 거행하겠습니다."

"그리고 절대 밤길은 가지 마라. 도둑이란 밤에 잘 나타나는 것이니, 미리 대책을 세워 실수 없도록 하여라!"

"네, 모든 일을 실수 없이 거행하겠으니, 사또께서는 마음 푹 놓으십시오."

"알았다. 그리고 대궐에 도착하면 김 상궁을 찾아뵙고, 내가 봉물짐 속에 명나라 화장품을 따로 넣어 보냈다는 말을 잊지 말고 꼭 전하여라."

"알겠습니다."

"그럼, 늦기 전에 어서 떠나거라!"

드디어 감사의 배웅을 받으며 봉물짐의 행렬이 떠났다. 맨 앞에 선 병방의 뒤로 칼을 찬 군관이 다섯 명, 그 뒤에 봉물짐을 짊어진 장정 다섯 명이 나란히 따르고, 그 앞과 뒤로 나머지 군졸 열 명이 적당한 거리를 두고 가고 있었다. 모두 하나같이 몸집이 크고 힘깨나 쓸 것 같은 장정들이었다.

봉물짐을 호위해 가는 행렬을 보고, 마을 사람들은 쑥덕공론을 폈다. 그런데 저쪽에서 한 젊은이가 달려오며 말하였다.

"저건 한양으로 올라가는 봉물짐이래요."

"무슨 봉물짐이 저렇게 크고 많은가? 꼭 난리가 나서 피난 가는 것 같군."

"이 사람아, 봉물이 많을수록 벼슬이 높아질 것 아닌가? 그러니까 억척스럽게 백성들의 재물을 긁어모아 올려 보내는 것 아닌가?"

백성들은 이런 모습을 보고 나라가 망하려는 징조라고 입을 모았다.

"백성이 없는 나라가 무슨 나라라 할 수 있나? 차라리 이놈의 꼴 보지 않게 산 속에라도 들어가 살았으면 좋겠네."

"산 속으로 홍길동 장군을 찾아 들어갈까? 거기 가면 이런 꼴 안 보고 살 수 있을 텐데……."

"다른 고을에는 홍길동 장군이 나타나서 원님의 볼기를 치고 빼앗은 재물을 백성들에게 나눠 주었다는데, 우리 고을에도 한번 나타나 주면 오죽 좋을까?"

이렇게 백성들은 홍길동을 기다렸다.

주모의 활약

봉물짐은 잠시도 쉬지 않고 서울로 올라가고 있었다.

첫날, 하루 종일 걸은 병방 일행은 문경 새재의 아랫마을에서 하룻밤을 묵기로 하였다.

"해는 조금 남았지만, 밤에 문경 새재를 넘을 수 없으니, 이 마을에서 자고 내일 떠나는 것이 안전할 것이다."

"긴장이 되어서 그런지 더 피곤합니다."

"그야 그렇지. 그렇지만 우리는 막중한 임무를 수행하는 중이니까 정신 바짝 차려야 하네."

무사히 첫날을 넘긴 병방 일행은 새벽에 밥을 먹고, 문경 새재를 넘기 시작하였다. 그들은 문경 새재를 넘어가는 동안, 잠시도 마음을 놓지 못하였다. 숲 속은 대낮에도 어두컴컴하여 혹시라도 도둑 떼가 나타나지 않을까 걱정이 되었다. 그러나 고개를 다 넘을 때까지도 도둑 떼는 나타나지 않았다.

"휴우, 이제 위험한 고개는 무사히 넘었다."

병방은 비로소 안도의 한숨을 내쉬며, 노을이 진 아랫마을로 들어섰다. 예정대로 이 마을에서 이틀째 밤을 쉬어 가려는 것이었다.

병방은 이 골목 저 골목 기웃거리며 숙소를 찾았다. 바로 그 때 저쪽 골목에서 늙수그레한 노인이 나오더니, 병방 앞에 허리를 굽실거리며 말하였다.

"나리, 주막을 찾으십니까?"

"그렇소. 여기서 제일 좋은 주막이 어디오?"

"네, 소인이 안내해 드리겠습니다."

병방은 노인을 따라 어느 뒷골목으로 들어갔다. 과연 깨끗하고 아담한 주막이, 사립문을 활짝 열어 놓은 채 그들을 기다리고 있었다. 더구나 사립문 사이로 댕기를 길게 드리운 처자가 들락날락하는 모습이 보이자, 병방은 기분이 좋아졌다.

"오늘 밤은 여기서 묵기로 하자."

병졸들이 각각 방을 정하여 들어가는 것을 본 병방은, 군관들과 함께 봉물짐이 있는 별채 방으로 갔다.

이제 모든 일은 길동이 계획한 대로 착착 진행되고 있었다. 아까 길에서 군졸들을 이 곳으로 유인해 온 것도 길동이 부하를 변장시켜 내려보낸 것이고, 주막집에서 예쁜 처녀를 들락거리게 한 것도 모두 길동이 꾸민 일이었다.

저녁 식사가 끝나자, 병방은 군졸들에게 명령하였다.

"다섯 명은 밖에서 망을 보고, 다섯 명은 주막 안을 지키기로 한다. 언제 도둑이 들지 모르니, 눈을 똑바로 뜨고 잘 지켜야 한다."

병방은 그렇게 말하고, 군졸들에게 당번을 정해 주었다. 보초를 서는 군졸들은 안팎에서 왔다갔다 하며 망을 보고 있었고, 병방은 별채에서 군관들과 이야기를 나누고 있었다.

"이제 위험한 문경 새재를 무사히 넘었으니, 피로도 풀 겸 우리 술 한 잔씩 하는 것이 어떻겠나?"

병방이 말했다.

그러자 벽에 기대어 피로에 지친 몸을 쉬고 있던 군관 하나가 조심스럽게 맞장구를 쳤다.

"글쎄요! 사또께서는 절대로 술을 마시지 말라고 하셨지만, 뭐 별일이 있을까요? 병방 어른의 생각대로 하시지요."

"그게 좋겠습니다. 너무 긴장한 탓인지 몸이 어쩐지 좋지 않습니다. 이럴 때 한잔 하는 것도 피로를 푸는 좋은 약이 되지 않을까요?"

다른 군관이 입맛을 다시며 말하였다.

"그럼, 군관의 말대로 피로도 풀 겸 내일의 힘을 기르기 위하여 한잔씩 하기로 하지."

병방은 생색내듯 말하고 나서 주모를 불렀다. 그는 주모에게 술상을 봐 오라고 하였다.

잠시 후, 주모는 한 상을 잘 차려 가지고 들어왔다.

"자, 쉰네의 술 한 잔 받으십시오."

주모는 병방에게 술을 가득 부어 올렸다.

"술상은 이만하면 괜찮은데, 빠진 게 하나 있군. 술에는 으레 따라오는 게 있는 법인데."

병방은 아까 본 댕기머리 처녀를 데리고 오라고 하였다. 주모는 그 아이는 술을 따르는 아이가 아니라고 거절을 하였다. 그러자 병방은 엽전 꾸러미를 주며 부탁을 하였다. 주모가 마지못한 척 말하였다.

"정 그러시다면 곱게 다루시고, 술을 먹이시면 안 됩니다."

"걱정하지 말게."

주모는 못 이기는 체 엽전 꾸러미를 들고 나갔다. 잠시 후, 곱단이가 수줍은 듯이 고개를 숙이고 방 안으로 들어왔다. 병방의 얼굴에는 흐뭇한 웃음이 떠올랐다. 그는 입을 헤벌린 채로 곱단이를 쳐다보느라 정신이 없었다. 이렇게 예쁜 처녀는 처음 보는 것 같았다. 그는 자기도 모르게 곱단이의 손을 잡아끌어 옆에다 앉혔다. 병방은 그녀의 이름을 묻고는 정신없이 그녀를 쳐다보기에 바빴다.

"너같이 아름다운 처녀가 따라 주는 술이라면 내 얼마든지 마시마. 자, 한 잔 가득 따라 보아라."

병방은 곱단이가 따라 주는 술을 단숨에 마셨다.

"한 잔 더 드십시오."

"네가 주는 술이라면 내가 싫다고 하겠느냐. 자, 가득 부어라."

병방은 술을 맹물 마시듯 꿀꺽꿀꺽 들이켰다. 병방은 거나하게 취하자 곱단을 끌어안으려고 하였다. 곱단은 병방을 피해 저만큼 물러나 앉으며 말하였다.

"안 됩니다. 이 방에는 다른 사람들도 있습니다."

"그렇지! 그런데 자네들은 왜 술은 안 먹고 내 눈치만 보고 있나?"

병방은 군관들을 돌아보며 나무라듯 말하였다.

"병방 어른께서는 마음껏 즐기십시오. 저희는 군졸들을 살펴보고 오겠습니다."

군관들이 말하였다.

"음, 그렇게 하게."

밖으로 나온 군관 하나가 말하였다.

"쳇! 우리보고는 먹어 보란 말도 없이 저 혼자만 기분을 내는군. 에이 더러워! 우리도 이럴 게 아니라 다른 주막에 가서 놀다 오세."

그러자 누구 하나 반대하는 사람이 없었다. 모두 병방 혼자 술을 마시며 곱단이와 희롱하는 것이 못마땅하였던 것이다. 군관들이 다른 주막으로 들어가는 것을 본 군졸들 역시 생각이 달라졌다.

"쳇, 병방이 마시는데, 우리라고 잠도 안 자고 망만 보라는 법 있나!"

아까부터 방 안을 기웃거리던 군졸 하나가 이렇게 말하였다. 입맛을 다시던 그 군졸은 그길로 방으로 들어가, 자고 있던 동료들을 모두 깨웠다.

"왜 그래? 홍길동이라도 나타났나?"

홍길동이라는 말이 나오자 다른 군졸들도 놀라서 벌떡 일어났다.

"하하하! 겁쟁이들이군. 난데없는 홍길동은 왜 찾나?"

"그럼, 왜 자는 사람을 깨우는 건가?"

"이 사람아! 우리 술 한잔 하세."

그 군졸은 술이라는 말에 입맛이 당기는지 침을 꿀꺽 삼켰다.

"병방은 별채에서 여자와 혼자 술 마시고, 군관들은 다른 술집으로 갔는데, 우리라고 망만 보고 있으라는 법 있나?"

"암, 맞는 말이네. 고생은 우리가 하고 재미는 병방 혼자만 본다면 말이 안 되지."

그러자 옆에 있던 군졸도 한 마디 하였다.

"불쌍한 건 우리들이야! 그렇다고 우리도 보고만 있을 수 없지 않나?"

군졸들은 저마다 한 마디씩 하고, 주모를 불러 술상을 차려오라고 하였다. 주모는 기다렸다는 듯이 미리 차려 놓았던 술상과 술독을 내왔다.

"허, 그거 빨라서 좋다."

"나리들, 이 술은 특별히 독하게 담근 술이니 한 잔씩만 드셔도 취합니다. 조심해서 드십시오."

주모는 빙그레 웃으며 말하였다.

"설마 술 한 잔 마시고 취할까! 주모는 쓸데없는 걱정 말고 술이나 떨어지지 않게 대령하게."

"술이야 얼마든지 있습니다만, 혹시나 취하셔서 욕이나 보시면 어쩔까 걱정이 됩니다."

군졸은 술을 떠서 단숨에 들이켜고는,

"음, 그 술맛 한번 희한하다. 좀 독하긴 하지만 감칠맛이 나는데!"

하고는, 안주를 듬뿍 집어 입에 넣고 씹었다. 다른 군졸들도 술을 들이켜고 입맛을 다시며 정신없이 술을 퍼 마셨다.

술상을 벌인 지 얼마 안 되어 군졸들은 하나 둘 곯아떨어지기 시작하였다. 나중에는 보초를 선 군졸마저 창대를 끌어안은 채, 댓돌 밑에 쭈그리고 앉아 잠이 들고 말았다. 그 때, 부엉이 울음소리가 들리더니, 주막집 뒤 숲 속에서 검은 그림자들이 우르르 쏟아져 나왔다. 그들은 담을 넘어 곧장 병방이 들어 있는 별채 앞으로 갔다. 그리고는 다짜고짜 방문을 확 잡아당겼다.

그 때까지 곱단이가 권하는 술을 들이켜고 있던 병방은,

"거 누구냐?"

하고 혀 꼬부라진 소리를 질렀다.

"누구는 누구냐? 염라대왕의 명을 받들어 너를 모시러 온 사자다!"

"뭐, 염라대왕?"

병방은 염라대왕이라는 말에 정신이 퍼뜩 들었는지, 술잔을 놓고 그들을 쳐다보았다.

"그렇다. 너는 지금 저승에 와서 심판을 받고 있는 중이다."

"뭐라고? 밖에 있던 군졸들은 다 어디로 갔느냐?"

병방의 외침과 함께 검은 그림자의 몽둥이가 그의 머리를 후려쳤다. 병방은 비명도 지르지 못하고 그 자리에 쓰러졌다.

"어서 움직여라!"

길동이 짧게 명령을 내리자 검은 그림자들은 봉물짐을 하나씩 짊어지고 그대로 담을 넘어, 어둠 속으로 사라지고 말았다.

봉물짐을 이 곳까지 나르느라고 수고가 많았다. 너희의 수고를 조금이라도 덜어 주기 위해서 이제부터는 우리가 봉물을 맡아 대궐까지 운반할 테니, 너희는 안심하고 돌아가거라.

활빈당 행수 홍길동

길동은 이렇게 글을 써 붙이고, 주모에게 무엇인가 귓속말로 이르고는 유유히 주막집을 빠져나갔다.

다른 주막집에서 술을 마시며 재미를 보던 군관들이 돌아온 것은, 활빈당원들이 봉물짐을 지고 흔적도 없이 사라지고 나서도 한참 후였다. 그들은 눈이 휘둥그레졌다. 병방은 죽은 듯이 벌렁 쓰러져 있고, 봉물짐은 온데간데없었다.

"아니, 이게 어찌 된 일인가?"

군관들이 여기저기 찾아봐도 사라진 봉물짐이 나타날 리 없었다.

"이거 큰일 났구나!"

겁이 더럭 난 군관들은 자고 있는 군졸들을 마구 두드려 깨웠다.

"이놈들아! 어서 일어나지 못할까! 봉물짐이 없어졌다."

군관들은 소리소리 지르며 주막집 안팎으로 돌아다니며 군졸을 깨웠다. 봉물짐이 없어졌다는 소리에 봉물짐 옆에서 당번을 서던 군졸은 깜짝 놀라 벌떡 일어섰다.

그 때 부엌 쪽에서 신음 소리가 들려왔다. 군관들은 부엌 쪽으로 달려갔다. 거기에는 주모가 손발이 뒤로 묶이고 입에 재갈이 물린 채 끙끙 앓고 있었다.

군관 하나가 재갈을 풀어 주며 급하게 물었다.

"주모, 도대체 이게 어떻게 된 일이오?"

"글쎄, 화적 떼들이 쳐들어와서 이렇게 요절을 내고 계집아이까지 붙들어 갔지 뭐요."

"뭐, 화적 떼들이?"

"그것도 모르고 나리들은 어디 가서 재미를 보다 오시오?"

"그게 무슨 소린가? 재미라니! 그따위 소리 한번만 더 하면 가만 안 두겠네."

군관들은 사실대로 말할 수도 없어 움찔하였다.

"군관 어른, 저 기둥에 무엇인가 꽂혀 있습니다."

"저게 뭐지?"

군관은 달려가 기둥에 꽂혀 있는 글을 읽어 보더니 부들부들 떨면서 말하였다.

"홍길동이 나타났다. 홍길동이 봉물짐을 빼앗아 갔다."

"뭐, 홍길동이 나타났다고? 어디, 어디!"

군졸들은 홍길동이 나타났다는 말에 창칼을 거머쥐고 여기저기 돌아보았다. 그 때야 병방은 정신을 차리고 자리에서 일어났다. 그리고 군관으로부터 앞뒤 사정을 낱낱이 들은 후 부하 군졸들을 모아 놓고 이렇게 말하였다.

"만일 이 일을 감영에서 아는 날이면 우리 모두 살아남지 못할 것이니, 내가 이르는 대로 하고 말조심 하여라!"

그는 주막에서 술을 먹었다는 말은 입 밖에도 내지 말며, 문경 새재에서 홍길동의 도둑 떼를 만나 봉물짐을 모두 빼앗기고 겨우 목숨만 살아 돌아왔다고 하라고 명하였다. 군졸이나 군관이나 누구 한 사람 술을 먹지 않은 사람이 없는지라, 이 일을 사실대로 말하지 않을 것은 뻔하였다. 병방은 다음 날 새벽에 주모를 불러 지난밤의 일은 절대로 발설하지 말라고 단단히 이르고, 입을 막는 값으로 술값의 두 배를 주었다. 병방 일행은 오던 길을 되돌아 그대로 김천 감영으로 돌아갔다.

동에 번쩍, 서에 번쩍

며칠 후, 길동은 곱단이를 주막집에 데려다 주기 위하여 산길을 걷고 있었다.

"이젠 봉물짐 턴 일은 잠잠해졌으니, 너는 주막집에 가서 우리 일을 도와야 한다."

"그야 물론이지요. 저는 행수님이 구해 주신 몸입니다. 죽으라면 죽고 살라면 사는 목숨입니다."

"그렇게 무리한 일은 시키지 않겠다. 이제 좋은 세상이 오면 우리들 모두가 어깨를 펴고 살 수 있을 것이다."

"그런 세상이 언제 옵니까?"

"그런 세상을 만들려고 우리 활빈당이 애쓰고 있지 않느냐? 이제 오래지 않아서 그런 세상이 올 것이다."

"빨리 그런 세상을 보고 싶어요."

곱단은 계속 이야기를 하였다.

"상감은 더욱 포악해지고, 지방 관속들은 여염집 아녀자들까지도 마

구 잡아들인다는데, 이 불쌍한 소녀도 언제 잡혀갈지……."

"그런 걱정은 안 해도 된다. 우리가 너를 지키고 있는 한, 그런 일은 없을 게다."

"고맙습니다, 행수님!"

길동과 곱단은 이런 이야기를 주고받으며 산속을 걸어가고 있었다. 그 때 숲 속에서 장정 두 사람이 튀어나오며 그들의 앞을 가로막았다.

한 놈이 칼을 빼어 들고 말하였다.

"계집은 이리 썩 나오고, 네놈은 몸에 지닌 것을 모두 내놓아라!"

길동은 될 수 있으면 조용히 지나가려고 그들을 달랬다.

"여보게, 우리는 아무것도 가진 것이 없으니, 공연히 괴롭히지 말게."

"뭐라고? 이놈이 뜨거운 맛을 봐야 하겠군!"

"글쎄, 우린 가진 것이 없다고 하지 않았나?"

"이놈이 겁도 없이 지껄이네."

"가진 것이 있어야 겁도 나겠지. 그렇지만 난 가진 것이 없으니 겁이 안 나네. 어서 길을 비키게!"

"아무래도 안 되겠다. 난 저 계집을 끌고 갈 테니, 넌 저놈을 단단히 혼내 주거라!"

그렇게 말하고 한 놈이 칼을 길동 앞에 들이댔다.

길동은 그대로 있을 수가 없었다. 잘못하면 곱단이가 끌려가 욕을 볼지도 모르는 일이었다. 한 놈이 칼을 들고 다가오자, 길동은 날쌔게 사내의 칼 쥔 팔을 힘껏 걷어찼다. 그 바람에 사내는 칼을 놓치고, 그 자리에 벌렁 나자빠졌다. 곱단이를 잡아가려던 놈은 이 광경을 보고는 아예 싸울 생각도 하지 않고 슬금슬금 뒷걸음질쳐 골짜기 쪽으로 도망치고 말았다. 길동은 그 녀석은 그냥 내버려 두고, 다시 팔목이 부러진 녀석 앞으로 가서 버럭 호통을 쳤다.

"이놈, 그 꼴로 무슨 산적 노릇을 하겠다는 것이냐? 한심한 놈 같으니라고……."

"난 당신 같은 사람은 처음 보았소. 다른 사람들은 우리가 칼을 들이대면 살려달라고 애걸복걸하면서 봇짐을 내려놓고 줄행랑을 치는데 이건 거꾸로 되지 않았소?"

그 도둑이 빌면서 말했다.

"그래, 네놈들의 산채가 어디냐?"

"그건 알아서 무엇 하게요?"

"이놈이 그래도…… 정말 네놈들 말대로 따끔한 맛을 보아야 되겠느냐?"

길동이 칼을 번쩍 들고 내리칠 것처럼 해 보이자, 도둑은 수그러들었다.

"요 너머에 있습니다."

"요 너머라니?"

"제가 일러 드려도 혼자서는 못 찾아갑니다."

"누가 찾아간다고 하였느냐?"

"요 너머의 바윗골이라는 데 있소."

"그래 패거리들은 모두 몇 명쯤 되느냐?"

"열 명입니다."

"그럼, 지나가는 사람의 돈이나 빼앗으면 되지, 어째서 아녀자까지 희롱하려 드느냐?"

"우리 두목이 여자를 좋아해서…… 두목한테 바치려고요."

"이런 못된 놈들! 그래, 너희 두목은 도대체 어떤 놈이냐?"

"흥, 이름만 들어도 놀랄 거요."

"이름만 들어도 놀라다니, 대체 어떤 놈이란 말이냐?"

길동은 호기심이 생겨 다시 물었다.

"우리 두목은 바로 저 유명한 홍길동 장군이란 말이오."

"뭐라고? 홍길동!"

길동은 기가 막혔지만, 가짜로 자기 행세를 하는 그 두목을 만나고 싶었다.

"그렇게 유명한 분에게 인사라도 올리고 가야겠다."

활빈당의 소문이 전국으로 퍼진 이후, 여러 산적들이 자기 이름을 팔며 도둑질을 하고 있다는 이야기를 길동도 듣고 있었다.

"왜 당신도 홍 장군의 부하가 되고 싶소?"

"그건 만나뵌 뒤에 결정할 일이니, 너는 안내만 하면 된다. 자, 어서 앞장서거라!"

"좋소. 그 계집을 두목에게 바치면 아마 당신도 부두목쯤은 시켜 줄

거요."

"그래, 알았다. 어서 가자."

길동은 도둑을 앞세우고 숲 속을 걸어 들어갔다.

뒤따라오는 곱단은 걱정이 되었다. 공연히 길동이 벌집을 쑤셔 놓을 것만 같았다. 꼭 화약을 지고 불 속으로 들어가는 기분이었다. 곱단은 마음이 놓이지 않았다. 더구나 길동이 다치지 않을까 염려가 되었다.

"행수님, 그냥 버려두고 돌아가는 것이 어떨까요?"

곱단이 걱정스럽게 말하였다.

"아니다. 요즘 내 이름을 팔고 다니는 도둑들이 많으니, 이번 기회에 그놈들을 단단히 혼내 주어야겠다."

참나무 숲이 우거진 골짜기를 한참 더듬어 가고 있을 때였다. 위쪽에서 떠들썩한 소리가 들리더니, 장승같이 키가 크고 눈이 왕방울만한 사내가 가슴을 풀어헤치고 아래로 천천히 내려왔다.

"이놈! 거기 오는 놈이 누군데, 내 부하를 함부로 건드리느냐?"

두목이라는 자가 먼저 달아난 부하의 이야기를 듣고, 길동을 잡으려고 내려오는 길인 모양이었다.

길동이 말하였다.

"댁이 정말 홍길동 장군이오?"

"그렇다. 내가 홍길동이다. 왜 겁이 나느냐?"

"내가 아는 홍 장군은 당신 같은 사람이 아니라서 말이오."

"뭐라고? 네놈이 어떻게 홍길동 장군을 안단 말이냐?"

"아직 만나지는 못하였지만, 홍길동 장군은 불쌍한 백성의 편에 서서 못된 탐관오리들을 무찌르는 의적으로 알고 있었는데…… 더구나 홍길동 장군은 아녀자를 탐내지 않는다고 들었소."

"뭐라고? 이놈이 버르장머리 없이 못 하는 말이 없구나."

두목은 벌컥 화를 내었다.

"또 한 가지, 홍길동 장군은 산 속에서 지나가는 행인의 보따리를 터는 그런 좀도둑이 아니라는 말을 들었는데……."

"이놈이 죽으려고 환장했구나. 애들아, 뭣 하고 있느냐? 계집은 이리 끌어오고, 저 놈은 주둥이를 못 놀리도록 혼쭐을 내 주어라."

그러자 두목 뒤에 서 있던 졸개들이 우르르 달려들어 길동과 곱단이를 에워쌌다.

"이놈들이 정말 몽둥이 맛을 봐야 정신을 차리겠느냐?"

길동은 짚고 다니는 몽둥이로 닥치는 대로 졸개들을 후려쳤다. 졸개들은 길동의 몽둥이에 머리가 깨지고 팔이 부러지고, 궁둥이를 얻어맞아 털썩 주저앉는 놈도 있었다. 이 광경을 지켜보던 두목은 화가 머리 끝까지 났다. 두목은 쓰러져 있는 졸개에게서 칼을 빼앗아 들고, 성난 멧돼지처럼 길동에게 돌진하여 왔다. 길동은 위로 훌쩍 뛰어올랐다가 아래로 떨어지면서 몽둥이 끝으로 두목의 칼을 힘껏 내리쳤다. 그러자 칼은 저만큼 나가떨어지고 두목은 그 자리에 넓죽 엎어지고 말았다. 길동은 그 위를 딛고 올라가서 몇 차례 목덜미를 짓밟은 뒤, 호통을 쳤다.

"이놈, 그래도 네가 홍길동이냐?"

"그러는 너는 누구냐?"

그래도 두목이라고 졸개들 앞에서 큰소리를 쳤다.

그 때, 곱단이가 매섭게 쏘아붙였다.

"남의 이름을 함부로 팔지 말아요. 여기 이 어른이 바로 홍길동 장군이라구요."

"뭐, 그게 정말이오?"

두목은 엎어진 채 길동을 올려다보며 말하였다. 길동은 두목을 부축해 일으키고 점잖게 타일렀다.

"잘 듣거라. 너희가 먹고 살 것이 없어서 이 짓을 하는 것은 이해한다. 하지만 어째서 남의 이름을 함부로 팔고 다니느냐? 그리고 또 이왕 활빈당의 이름을 팔았으면 의로운 일을 할 것이지, 이런 좀도둑질로 남의 이름을 더럽힌단 말이냐?"

"당신이 정말 활빈당 행수 홍길동 장군이시오?"

두목은 반신반의하는 표정으로 물었다.

"갈 길이 바빠 증거를 보여 주지 못하는 것이 유감이지만, 언젠가 다시 만날 날이 있을 것이다. 그 때, 네 눈으로 똑똑히 보아라. 그리고 이제부터라도 착한 백성들은 괴롭히지 말아라!"

길동과 곱단이가 산을 다 내려올 때까지도 두목은 졸개들과 함께 넋을 잃은 듯 멍하니 내려다보고 있었다. 길동은 곱단과 숲을 헤치며 산 아래 주막으로 내려오고 있었다. 곱단은 그 두목이 또 가짜 노릇을 할지 궁금하였다. 그것을 묻자, 길동이 대답하였다.

"글쎄, 단단히 혼은 났지만, 가짜 노릇을 안 한다는 보장은 없지."

"그럼, 아예 죽여 버렸으면 좋았을걸 그랬습니다."

"귀한 목숨을 그렇게 쉽게 끊을 수는 없지."

"그자가 또 가짜 노릇을 하면 어떻게 해요?"

"글쎄, 우리 활빈당의 이름을 팔려거든 탐관오리를 쳐부수는 의로운 데 써야 하는데, 착한 백성을 괴롭히면 그 나쁜 관원들과 무엇이 다르겠느냐? 그것이 걱정이다."

"저도 그것이 걱정이에요. 백성들을 괴롭힌다면, 백성들은 관원들과 마찬가지로 우리 활빈당을 미워할 거 아니겠어요?"

"그야 그렇겠지. 그렇다고 일일이 가짜 홍길동 노릇을 하는 놈들을 찾아가 목을 벨 수도 없고…… 이것도 다 백성들이 먹고 살 수가 없어서 하는 것이 아니겠느냐?"

"그러니까 하루바삐 행수님이 좋은 세상을 만들어야지요."

"그 날이 오겠지. 아니, 반드시 오도록 만들 것이다."

마을이 가까워지자 어디선가 사람의 울음소리가 들려왔다. 길동은 우뚝 서서 귀를 기울였다. 그리고 울음소리가 나는 곳으로 찾아갔다.

"앗! 저 사람이⋯⋯."

한 발만 늦었어도 큰일날 뻔하였다. 등걸 위에 올라서서 발돋움을 하며 나뭇가지에 허리띠로 목을 매달고 있는 총각을 보게 된 것이다.

"잠깐만 기다리시오!"

길동은 뛰어내리려는 총각의 허리를 껴안았다.

"뉘신지는 모르지만 저를 놓아 주십시오. 저는 살 수 없는 목숨입니다. 죽게 내버려 두십시오."

그 총각의 기운은 보통이 아니었다. 길동은 그를 막아 내기가 힘들 지경이 되자 흥분해서 소리치는 총각의 따귀를 한 대 때렸다. 어찌나 호되게 따귀를 맞았는지, 총각은 멍하니 그대로 서 있었다.

"사내대장부가 비겁하게 목숨을 끊으려 하다니, 그런 용기가 있거든 일어나 싸우시오."

길동은 잠잠해진 총각에게 호통을 쳤다.

"남의 사정을 모르거든 잠자코 계시오!"

"사정을 모르다니? 대체 무슨 사정이 있다는 것이오?"

"난들 죽고 싶어 이러겠소? 살 수 없으니까 죽으려는 거지."

"글쎄, 그 죽으려는 사정이 뭐란 말이오?"

"벼슬아치들 등쌀에 도저히 살 수가 없습니다."

"그래, 벼슬아치들이 어떻게 했다는 거요?"

"저에게 어찌했다면 참을 수도 있지만, 저의 하나밖에 없는 누이동생에게⋯⋯."

"누이동생을 벼슬아치에게 빼앗기기라도 했다는 말이오?"

"그렇습니다."

"자세히 말해 보시오."

"그럼, 속 시원히 말씀이나 드리고 죽겠습니다."

"왜 죽는다는 말을 계속 하시오? 하나밖에 없는 목숨을 그렇게 쉽게 버려서야 되겠소? 어서 그 사정이나 들어 봅시다."

총각은 본디 마을에서 장사를 하며 살았다고 한다. 그런데 누이동생이 차차 나이가 들면서 어찌나 아름다워지는지, 돈 있고 행세깨나 하는 집에서 소실로 달라고 성화를 부리는 통에, 보물단지 지키듯이 누이동생을 보호하는 데 온 정신을 기울였다.

그런데 이 고을 원님도 다른 사람 못지않게 누이동생을 탐내서, 이방을 시켜 온갖 협박으로 원님에게 동생을 바치라고 하는 것이었다. 생각다 못한 총각은 누이동생을 지키기 위하여 원님의 눈에 띄지 않는 곳으로 가서 살기로 하였다. 그래서 늙은 부모와 누이동생을 데리고 산속에 들어와 숨어 살았다는 것이다.

"그래, 이 산속에 들어와 산 지는 얼마나 되었소?"

"1년 조금 넘었지요."

"그런데 어떻게 관원들의 눈에 띄게 되었소?"

"그건 잘 모르겠습니다. 아마도 원님이 이 산속으로 사냥을 나왔다가 우리를 본 모양이에요."

"그게 언제요?"

"우리는 모르지요. 원님이 그 날은 그대로 돌아갔다가, 오늘 사령들을 보내 잡아 오라고 시킨 모양입니다."

"어쨌든 안되었소. 누이동생을 지키기 위해 이 산속까지 들어와 살았는데……"

"그렇습니다. 그러니 댁 같으면 어떻게 하겠습니까? 죽는 길밖에 더 있겠습니까?"

"죽기는 바보같이 왜 죽소? 또 죽으면 누이동생은 누가 구출하단 말이오."

"제가 무슨 수로 누이동생을 구출합니까? 그렇지 않아도 처음에는 관원에게 덤벼들었습니다만, 매만 실컷 맞고, 이 꼴 저 꼴 보지 않는 길은 죽음밖에 없다고 생각했습니다."

"늙으신 부모님은 어떻게 하라고 그러시오?"

"불효는 이미 저지른 것, 무슨 낯으로 돌아가 부모님을 뵙겠습니까?"

"그렇게 한탄만 할 것 아니고, 어떻게 누이동생을 구출할 방법을 찾아야지 않겠소?"

"방법이라뇨?"

"그래, 지금 누이동생은 어디 있소?"

"놈들이 지금 요 아래 주막에서 쉬면서 술을 마시고 있을 겁니다."

"그럼 잘됐네. 그 주막은 나도 잘 아는 곳이니 함께 갑시다. 사내대장부가 죽을 각오를 했다면 끝까지 싸우다 죽을 것이지, 비겁하게 스스로 목숨을 끊을 생각을 하시오?"

"댁은 대체 누구신데…… 겁도 안 나시오?"

"그래, 당신 이름은 뭐고, 누이동생 이름은 뭐라고 하시오?"

"저는 돌쇠라 하고, 누이동생은 이쁜이라고 합니다."

한편, 사령들은 주막에서 주거니 받거니 하면서 술을 퍼마시고 있었다. 그들은 벌써 술 한 동이를 비우고 또 술을 찾고 있었다. 사령 하나가 술 한 동이를 더 시키려 하자, 다른 사령이 말렸다.

"한 동이는 많아, 반 동이만 하세."

"지금은 더워서 못 가니, 좀더 마시고 해가 기운 뒤에 떠나기로 하세.

게다가 우리만 먹어서는 안 되지. 가마꾼들도 든든히 먹어야 하지 않겠나? 보물을 날라다 줄 사람들인데."

뜰 아랫방 섬돌에는 비록 낡기는 했지만 깨끗한 처녀의 신발이 놓여 있었다. 그들은 주모를 불러 가마꾼들에게도 술과 안주를 갖다 주라고 하였다. 그리고 나서 방 안에 있는 처자에게도 먹을 것을 갖다 주라고 하였다. 주모는 부엌으로 들어가서 한 상 차려 가지고 처녀가 들어 있는 방으로 들어갔다. 이 때, 창문으로 홍길동이 불쑥 얼굴을 내밀었다.

"아니, 행수님! 이게 어찌 된 일입니까?"

주모는 놀란 얼굴로 물었다.

"이야기는 나중에 하기로 하고, 우선 먼저 이 처자를 창밖으로 내보내야 하네. 아가씨, 어서 내 어깨를 타고 창밖으로 나오시오. 오라비가 기다리고 있소. 그리고 주모는 이 아가씨를 도와주게."

길동은 이쁜이를 무동 태워서 밖으로 내보냈다.

"주모는 어서 밖으로 나가 보게."

길동이 주모에게 재촉을 하였다.

"행수님도 창밖으로 나가셔야지요."

"아냐, 그러면 주모가 의심을 받을 테니, 내 걱정은 말고 어서 나가게."

"그렇지만……."

"글쎄, 아무 걱정 말게. 난 아직 할 일이 남아 있네."

"할 일이라니요?"

"그건 나중에 알게 될걸세. 어서 나가기나 하게. 의심받겠네."

"네, 그럼…… ."

주모는 상을 들고 나와 안채로 들어갔다. 얼마 후에 밖에서 두런두런 인기척이 났다. 떠날 채비를 하고 있는 모양이었다. 길동은 얼른 방문을 열었다. 마침 가마 앞문이 입을 떡 벌리고 길동을 기다리고 있는 것 같았다. 길동은 가마 안으로 얼른 들어가 발을 내리고 문을 닫았다.

"이 신발도 넣어야지."

가마꾼이 넣어 주는 이쁜이의 신발을 길동이 받아서 가마 안에 들여놓았다. 가마꾼이 앞뒤에 서서 가마채를 들어올렸다.

"어, 꽤 무거운데."

"정말이야. 처녀가 이렇게 무겁다니."

가마는 천천히 주막을 나섰다. 가마 앞뒤를 사령 두 사람이 버티어 서고, 길동이 호위를 받으며 가마에 실려 가고 있었다. 길동은 이제나저제나 뛰어나갈 기회를 엿보았지만 큰길은 위험하였다.

'오냐, 호젓한 길로 접어들 때까지만 실려 가자!'

길동은 그런 생각을 하며, 기회를 엿보고 있었다.

그 때 사령들이 얘기를 나누었다.

"좀 취하니 한결 걸음이 가벼운데."

"정신 바짝 차리고 가. 그러다가 홍길동이라도 나타나면 어떻게 하려고 그러나?"

"흥, 제발 그놈이 나타났으면 좋겠네. 상금 천 냥에 벼슬도 올라갈 것 아닌가! 그 얼마나 좋은 일인가?"

"큰소리 작작 하게. 그러다 불쑥 나타나면 맨 먼저 달아날 작자가……."

"뭐라고? 그런 좋은 기회를 내가 놓칠 것 같나? 제발 하늘이 도와서 홍길동을 보내 주었으면 좋겠네."

"홍길동이 봉물짐 털어갔다는 이야기 못 들었나?"

"그야, 멍청한 군졸들을 데리고 갔으니까 그런 꼴을 당했지."

"그런데 그게 이상하단 말일세. 봉물짐 올라가는 것을 홍길동이 어떻게 알고 털었을까. 그렇게 비밀스러운 일을……."

"이 사람아! 홍길동 앞잡이들이 사방에 깔려 있을 텐데, 그걸 모르겠나?"

"그러고 보면 비밀이란 없는 것 같네. 오늘 우리가 하는 이 일도 홍길동의 부하가 알고 고해 바쳤는지도 모르지."

"그럴지도 모르지. 이것도 보물은 보물이니까."

사령들은 심심한지 저희끼리 말을 주고받으며 산길로 들어섰다.

이 때, 길동이 큰 소리로 말하였다.

"가마꾼, 잠깐 멈추어라, 오줌 좀 누고 가자."

이 말에 가마꾼들이 깜짝 놀랐다.

'꽃 같은 처녀가 부끄러운 줄도 모르고……."

그러나 길동은 가마 안에서 또 호통을 쳤다.

"왜, 내 말이 안 들리느냐? 썩 내려놓지 못할까!"

그 때야 사령들은 가마 안의 사람이 여자가 아닌 남자라는 것을 알았다.

"안에 있는 게 누구냐? 어서 나오지 못할까!"

내려놓은 가마 앞으로 사령들이 칼을 뽑아들고 다가와 소리질렀다.

"나가실 테니, 내가 누군지 똑똑히 잘 보아라!"

길동이 가마 문을 밀고 밖으로 뛰어나갔다.

"너는 누군데 가마 속에 숨어 있느냐?"

사령들은 길동을 보자 주춤주춤 뒤로 물러서며 외쳤다.

"네놈들 말대로 하늘이 도와서 너에게 나타난 장군이시다."

"그렇다면 네가 홍길동이란 말이냐?"

"이제야 정신을 차렸느냐."

길동이 칼을 뽑아 키가 작은 사령의 상투 끝을 싹 잘라 버렸다.

"어떠냐? 네놈은 귀를 잘라 주랴?"

길동이 키가 큰 사령에게 다가섰다.

"응, 너 잘 만났다. 그렇지 않아도 네가 나타나기만을 기다렸다. 그래야 상금을 타서 팔자를 고쳐 볼 것 아니냐?"

키 큰 사령은 큰소리를 치며 길동의 앞에 칼을 들이댔다.

"그래, 그 상금 받아서 잘 살아 보거라."

길동은 껑충 뛰어올랐다가 내려오면서 사령의 귀를 싹둑 베었다.

"자, 그 떨어진 귀가 상금이다. 주워 가지고 돌아가거라!"

"귀가 달아났다고 해서 내가 눈 하나 깜짝할 줄 알았느냐? 흰소리 말고 오라를 받아라."

사령은 욕심이 났다. 그까짓 잘린 귀쯤이야 문제가 아니었다. 홍길동을 잡으면 상금이 천 냥이고, 벼슬도 올라간다.

"저놈이 아직 혼이 덜 난 모양이군. 그렇다면 정신이 퍼뜩 들게 해 주지. 얏!"

"어이쿠……."

길동의 손이 번쩍하자 사령 하나가 비명을 지르며 앞으로 고꾸라지고, 또 한 번의 기합 소리에 다른 사령이 뒤로 나동그라졌다. 이들은 모두 정강이뼈를 얻어맞았던 것이었다. 가마꾼들은 부들부들 떨면서 길동을 지켜보고 있었다.

"가마꾼들은 저 사령들을 앞뒤 가마채에 묶어라!"

"저희가 어떻게……."

가마꾼들은 선뜻 나서지 못하고 망설였다.

"무엇을 우물쭈물하고 있느냐! 썩 묶지 못할까! 그러지 않으면 네놈의 팔뚝을 싹둑 잘라 버릴 테다."

길동이 망설이고 있는 가마꾼에게 으름장을 놓았다. 가마꾼 하나가

허리를 굽실굽실하며 사령 앞으로 다가갔다. 사령은 자기 앞으로 다가오는 가마꾼을 노려보았다.

"다른 놈은 무엇을 하느냐? 어서 묶어라!"

가마꾼은 허리를 굽실거리며 사령을 묶었다.

"다 묶었으면, 앞채잡이가 뒤채잡이를 묶어라."

"넷?"

"왜 그리 놀라느냐?"

"저희는 아무 죄도 없습니다."

"죄가 있고 없고 간에 묶으라면 묶었지 무슨 잔소리냐? 어서 묶지 못할까?"

"그렇지만 억울합니다."

"억울해?"

"네, 저희는 그저 관가에서 시키는 대로 했을 뿐입니다."

"말이 많구나. 갈 길이 바쁘다. 어서 시키는 대로 하여라. 그러지 않으면……."

길동은 일부러 칼을 높이 들고 호령하였다.

"네, 알았습니다."

마지막으로 남은 가마꾼은 길동이 묶었다.

"자, 이제 어디로든 가거라. 만일 관가에 돌아가거든 사또에게 전하여라. 또다시 아녀자를 탐한다면 그 때는 활빈당 당원들이 관가를 박살내고, 사또의 목을 나무 꼭대기에 매달아 본보기로 하겠다고 말이다!"

길동은 그 말을 남기고, 산채로 돌아왔다.

배반자의 무덤

홍길동의 도움으로 누이동생을 무사히 구출하여 산 속의 집으로 돌아온 돌쇠는, 하루하루를 불안 속에서 지냈다. 관가에서 언제 또다시 잡으러 올지 몰라서, 아침 일찍부터 산등성이에서 망을 보곤 하였다.

그러던 어느 날, 저쪽에서 두 사나이가 이야기를 주고받으며 걸어오고 있었다.

'혹시 관가에서 나온 사람들이 아닐까?'

돌쇠는 그 사람들을 보기 위하여 가까이 내려가 숨어서 살펴보았다.

"여기서 잠깐 쉬었다 가세."

"그렇게 하세."

두 사람은 돌쇠가 숨어 있는 바로 위 언덕에 나란히 앉았다.

"이 사람아, 자네는 어떻게 할 것인가?"

"무얼 어떻게 해?"

"이 패물을 팔고 도로 산채로 들어갈 것인가?"

"산채로 가지 않으면 달리 갈 데라도 있나?"

"자네만 좋다면야……."

"주저하지 말고 말해 보게."

"나는 이걸 팔아 가지고……."

"그래, 패물을 팔아 가지고 아예 딴 데로 숨어 버리겠다는 말인가?"

"눈치 한번 빨라 좋네!"

"그렇게 되면 우리가 홍길동 장군을 배반하는 것이 아닌가?"

"아따, 이 사람. 언제부터 그렇게 홍길동 장군에게 충성을 다하였나?"

"그건 아니지만, 어쩐지 마음이 꺼림칙하네."

"그리고 홍길동이 숨어 있는 곳을 가르쳐 주는 사람에게 얼마를 준다고 하였지?"

"이 사람아, 그 말은 홍길동 장군을 밀고하겠다는 말이 아닌가? 우리가 여태까지 홍 장군 밑에서 살아왔는데, 패물을 팔아 숨어 버린다면 몰라도 어떻게 밀고까지 할 수 있나? 그건 결국 의리를 저버리는 일일세."

"의리? 의리는 무슨 놈의 의리야. 이 기회에 아주 팔자를 고치자는 말일세."

"팔자 고치자고 홍 장군을 밀고할 수는 없는 일이야!"

"이 사람아, 눈 딱 감고 내가 하자는 대로 하세. 그러면 우리도 한밑천 잡고 떵떵거리며 살 수 있지 않겠나."

"팔자를 고친다는데 싫은 사람이 있겠나. 하지만 어째 의리를 저버리는 일 같아 선뜻 마음이 내키지 않네."

"이 사람아, 의리가 밥 먹여 주나? 그따위 도둑의 의리는 저버려도 괜찮네."

"좋아, 그렇게 하세. 우선 패물부터 팔아치우고 난 다음에 관가로 가도 늦지 않겠지."

두 사나이는 금방 돈더미에 올라앉은 것처럼 기분 좋게 걸어갔다.

돌쇠는 기가 막혔다. 자신이 보고 들은 이야기를 믿을 수가 없었다. 당장 두 놈을 때려 죽여도 시원치 않겠으나, 자기에게는 그만한 힘이 없었다.

'이 일을 어떻게 하지? 목숨을 구해 준 은인에게 이런 변이 생기다니. 이럴 줄 알았으면 산채가 어디 있는지 물어나 볼걸.'

후회가 되었다. 그러나 후회를 한다고 해결될 문제가 아니었다.

'죽일 놈들! 제 한 몸 잘 살자고 홍길동 장군을 배반하다니……'

돌쇠는 이를 부드득 갈았다.

"하늘이 무심치 않으면, 네놈들을 가만 두지 않을 것이다."

돌쇠는 주먹을 불끈 쥐었다. 그는 아무리 생각을 하여도 이 일을 알릴 방법이 떠오르지 않았다. 그러다가 순간적으로 손뼉을 철썩 쳤다.

"옳지, 내가 왜 그 생각을 못하였을까?"

돌쇠는 줄달음질쳤다. 그렇다, 주막집이다. 그 때 주막의 주모를 홍 장군이 알고 있는 것 같았다. 주막에 가서 물어보면 활빈당의 산채를 알 수 있을지도 모른다. 돌쇠는 한달음에 주막에 도착하였다. 마침 곱단이 개울가에 있다가 헐레벌떡 달려오는 돌쇠를 발견하고 놀라서 물었다.

"이게 누구십니까?"

"아니, 곱단 아가씨가 여기는 웬일입니까?"

"이 곳이 우리 집이에요."

"홍 장군님 산채가 어디요?"

"그건 왜 묻지요?"

"한시가 급해요. 빨리 좀 가르쳐 주세요."

"무슨 일인데 그러세요?"

돌쇠는 아까 두 사나이가 주고받은 이야기를 곱단에게 들려주었다. 곱단은 도저히 못 믿겠다는 듯이 고개를 갸우뚱하였다. 그러자 돌쇠가 다급하게 말하였다.

"이러고 있을 때가 아닙니다. 한시바삐 홍 장군님께 알려 드려야죠."

"그 얘기가 사실이라면 가만히 있을 수 없지요. 어쨌든 주모한테 말씀드려야 하니, 집으로 들어갑시다."

곱단으로부터 이야기를 전해 들은 주모는 깜짝 놀랐다.

"이런 날벼락이 어디 있단 말이냐! 시각을 다투는 일이니, 어서 서둘러 가거라."

주모는 곱단이와 돌쇠를 내쫓듯이 보냈다.

돌쇠와 곱단은 뒤를 따라 달리다시피 걸었다. 얼마를 걸었는지 모른다. 둥근 달이 하늘에서 떠서 두 사람이 가는 길을 환히 비춰 주고 있었다. 풀숲에서 찌륵찌륵 울던 벌레들이 두 사람이 지나갈 때마다 잠깐 멈추었다가 다시 울었다.

두 사람이 산채 어귀에 도착한 것은 새벽 무렵이었다. 그들은 잠시도 쉬지 않고 밤새워 걸어왔던 것이다.

"거기 오는 사람이 누구요?"

바위 위에서 망을 보던 당원이 소리쳐 물었다.

"소녀예요, 곱단이."

"곱단 아가씨가 웬일이오! 그리고 옆에 있는 사나이는 누구요?"

"행수님께 급히 알릴 일이 있어서 같이 온 분이세요."

"잠깐만 기다리시오."

잠시 후, 두 사람은 길동의 숙소로 갔다.

돌쇠가 길동을 보고 말하였다.

"장군님, 소인 돌쇠입니다. 스스로 목숨을 끊으려는 소인을 살려 주시고, 사또에게 잡혀가는 누이동생까지 구해 주셨지요."

"그래, 그놈들이 또 잡으러 왔소?"

"아니에요. 그보다 급한 일이 있어서 왔습니다."

곱단은 돌쇠에게 들은 이야기를 모두 하였다.

"당원 두 사람에게 패물을 줘 내보낸 일이 있습니까?"

"있지. 예전의 봉물짐에서 나온 것인데, 군자금에 보태 쓰려고 내보냈는데, 그래 그것이 사고라도 났다는 말이냐?"

"사고가 아니라, 그놈들이 배반을 하였습니다."

"뭐, 배반을?"

길동은 뜻밖의 일이라 놀라서 소리쳤다.

이번에는 돌쇠가 일의 전말을 자세히 말하였다.

"그놈들이 결국 그랬구나. 기르던 개한테 발뒤꿈치 물린 꼴이 되었구나!"

"행수님, 빨리 대책을 세우셔야지요."

"마숙과 김지 부장을 불러오너라."

잠시 후에 마숙과 김지가 헐레벌떡 달려왔다. 길동은 그들에게 부하들 이야기를 해 주었다.

"행수님! 저를 죽여 주십시오. 그놈들은 제 밑에 있던 놈들입니다."

김지 부장이 꿇어앉아 목멘 소리로 울부짖었다.

"그게 어디 김 부장 탓이겠나? 모두 다 내가 덕이 없는 탓이지."

"아닙니다. 그런 속도 모르고 여태까지 데리고 있던 제 잘못입니다. 저를 벌하여 주십시오."

"김 부장을 벌준다고 일이 해결되는 것은 아니네. 그보다 대책을 세워야 되지 않겠나. 그래서 그 문제를 의논하려고 불렀네. 마숙 부장은 어떻게 생각하나?"

"그렇습니다. 지금 와서 잘잘못을 따진들 무슨 소용이 있겠습니까? 소 잃고 외양간 고치는 격이죠."

"행수님! 그놈들이 관가에 밀고했다면 곧 관군이 쳐들어올 것 아닙니까?"

"그야 그렇겠지. 그러나 너무 걱정 안 해도 돼. 우리는 언제나 이런 사태에 대비하여 미리 준비해 오지 않았나?"

"그건 그렇습니다. 당원들을 요소요소에 배치해야 하겠습니다."

"내게 생각이 있네. 이번에는 화공법을 쓰기로 하세. 관군들이 한두 명이면 몰라도 백 명이 넘을 때는 이 화공법을 쓰는 게 효과적이야.”

화공법이란 불로써 적을 공격하는 병법의 하나로, 적을 골짜기로 끌어들인 뒤에 사방에 불을 놓아 태워 죽이는 전법이었다.

“그럼, 어서 준비를 시켜야 하겠습니다.”

“그래야 하겠네. 당원을 모두 집합시켜 주게.”

길동은 집합한 당원 앞에서 힘주어 말하였다.

“모두 들어라! 우리 당원 중에서 두 명이 우리를 배반하고 관가에 밀고를 한다는 소식이 들어왔다. 이제 곧 관군이 이 산으로 쳐들어올 것이다. 우리는 그것에 대비하여 이제부터 완전 무장을 하고, 언제 어디서든지 관군을 맞아 싸울 준비를 서둘러야 한다. 혹시 이번 싸움에 실패라도 하는 날이면, 이제까지 쌓아 온 우리의 노력은 물거품이 되고 만다. 각자 이 점을 명심하여 빈틈없이 준비를 해 주기 바란다.”

“행수님, 질문 있습니다.”

당원 중 하나가 손을 번쩍 들고 소리쳤다.

“무슨 질문인가?”

“우리를 배반하고 관가에 밀고한 자가 어느 소조의 누구인지 말해 주시기 바랍니다.”

“그 일은 내가 밝히겠소. 배반자는 내 밑에 있던 두칠이와 꺽쇠요. 나는 이번 일을 뼈아프게 느끼고 거기에 대한 응분의 책임을 지겠소. 반드시 그놈들은 내 손으로 잡아 처단할 것을 약속드리오.”

김지 부장이 단원들에게 말하였다.

이 말에 당원들이 술렁거렸다.

“조용히들 하라. 여러분이 흥분하는 것도 당연하다. 그러나 이제 우리는 싸움을 눈앞에 두고 있으니 흥분해서는 안 된다. 오로지 싸움에만 신경을 써야 한다. 싸워서 이기면 모든 문제는 해결될 것이다.”

　길동은 술렁이는 당원들에게 힘주어 말하였다. 그리고 당원들을 해산
시키고, 부장들과 전략을 짰다. 길동은 우선 부하들에게 솜뭉치 하나와
부싯돌 하나씩을 마련하게 하였다. 그리고 참기름, 들기름, 피마자기름
등 기름이라는 기름은 모두 모아들이게 하였다.

　한편, 자신은 어릴 때 스승에게서 배운 것을 생각하며 밤새워 화약을
만들었다. 이 화약을 만드는 데에는 지난번 함경 감영을 습격했을 때
빼앗아 온 화약과 초석이 아주 요긴하게 쓰였다. 모든 준비가 끝나자,
길동은 다시 부하들을 모아 놓고, 기름 묻힌 솜뭉치와 폭약이 든 가죽
쌈지를 하나씩 나눠 주며 말하였다.

　"이제 결전의 시각이 다가왔다. 모두들 죽기를 각오하고 싸워 주기
　바란다. 적을 골짜기로 끌어들인 뒤 내가 먼저 불을 붙여 던지면, 너
　희도 곧 부싯돌을 쳐 불을 붙여라. 알맞은 간격으로 던지기만 하면,

화약이 터지면서 온 골짜기가 불바다가 될 것이다. 그리고 우리는 사람을 죽이는 것이 목적이 아니니, 우리를 지키되 달아나는 적은 쫓아가 죽이지 마라."

이렇게 명령을 내린 길동은, 밤을 틈타 부하 백여 명을 문경 고개 위로 이동시켰다. 화공법을 쓰자면 미리 골짜기가 깊은 산등성이에 부하들을 숨겨 놓아야 했기 때문이다.

이틀 후였다. 드디어 관군의 선봉이 골짜기 어귀에 모습을 나타냈다. 능선 맨 꼭대기, 큰 바위 뒤에 몸을 숨긴 길동은, 그들이 좀더 골짜기 안으로 깊숙이 들어오기를 기다렸다. 그런 것도 모르고 관군은 숲 속으로 속속 들어오고 있었다.

바로 그 때, 앞에 있는 참나무 숲 속에서 한 무리의 장정들이 튀어나오더니 관군의 목 서넛을 베어 버리고는 쏜살같이 골짜기 쪽으로 사라졌다.

"놈들이 나타났다. 어서 저놈들을 붙잡아라!"

뻔히 눈을 뜨고 기습을 당한 감사는 화가 머리끝까지 치밀어올랐다. 그래서 감사는 몸소 말을 몰아 골짜기 안으로 뛰어들었다.

"사또, 위험합니다! 놈들이 술책을 쓰는 것 같습니다. 진정하십시오."

옆에 따르던 군관이 급히 감사의 앞을 가로막으며 말하였다. 그러나 화가 잔뜩 난 감사의 귀에 그런 소리가 들릴 리가 없었다.

"시끄럽다! 어서 저놈들을 쫓지 않고 무엇을 하고 있느냐?"

감사는 오히려 화를 버럭 내면서, 기병을 몰아 길동이 쳐놓은 그물 안으로 깊숙이 들어왔다. 이렇게 되자, 보병 군졸들도 그 뒤를 따르지 않을 수 없었다.

얼마 동안 그렇게 도둑 떼를 쫓던 감사는 갑자기 말을 멈추었다. 쫓겨 가던 도둑들이 쥐도 새도 모르게 자취를 감춰 버렸기 때문이다.

"아니, 이놈들이 어디로 갔느냐?"

감사가 어이없는 얼굴로 옆에 선 군졸을 돌아보는 사이, 시뻘건 불덩이 하나가 휙! 소리를 내며 날아왔다.

"저게 뭔가?"

감사는 멍청하게 서서 불덩이를 쳐다보다가 군관들의 한가운데에 그 불덩이가 요란한 소리를 내며 터질 때에야 번쩍 정신이 들었다.

"화공이다! 후퇴하라!"

감사는 급히 말머리를 돌리며 군졸들을 향해 명령하였다. 그러나 그때는 이미 마숙 부장이 이끄는 활빈당의 한 떼가 골짜기 어귀를 철통같이 막아 버린 뒤였다. 우르르 몰려가던 관군은 다시 제자리로 되돌아오지 않을 수 없었다.

"사또, 길이 막혔습니다."

"뭐라고?"

그 때서야 활빈당의 술책에 빠졌다는 것을 안 감사는 이를 부드득 갈았다.

"아니, 저 쥐새끼 같은 놈들이!"

그러나 화만 내고 있을 때가 아니었다. 어쩔 줄 몰라 갈팡질팡하는 군졸들의 머리 위에 불덩이가 쉴새없이 날아왔다. 그럴 때마다 요란한 폭음과 함께 시뻘건 불길이 하늘 높이 솟구쳐 올랐다.

"어서 길을 찾아라!"

감사는 찢어지는 듯한 목소리로 계속 악을 썼으나, 이런 혼란 속에서 감사의 명령이 제대로 통할 리가 없었다. 군졸들은 제멋대로 뿔뿔이 흩어져 이리 몰리고 저리 몰리면서 도망갈 구멍을 찾았다. 감사는 거의 제정신이 아니었다. 설마 화적들이 폭약까지 쓸까 하고 얕잡아 본 것이 잘못이었다. 감사는 군졸이고 뭐고 다 내버리고, 우선 제 목숨 하나만이라도 살아야겠다고 생각하고, 옆에 따르는 군관들에게 소리쳤다.

"얘들아, 어서 도망가자!"

군관들은 감사를 호위하면서 아직 불이 덜 번진 골짜기 안쪽으로 부리나케 말을 몰았다. 그러나 얼마 가지 못하여 그들은 높은 낭떠러지 앞에 서게 되었다.

"이거 큰일났구나!"

감사 일행이 어쩔 줄 모르고 쩔쩔매고 있을 때, 갑자기 낭떠러지 위에서 바윗돌이 와르르 굴러 떨어졌다.

"바위다! 피하라!"

감사가 소리치면서 말고삐를 앞으로 잡아당기는 순간, 그를 따르던 군관 둘이 바윗돌 밑에 깔려 말과 함께 쓰러졌다.

감사는 다시 말머리를 돌려 반대 방향으로 달렸다. 그러나 이번에는 활활 타는 숲이 다시 그들의 앞을 막았다. 어디선지 날아오는 화살은 휙휙 소리를 내면서 그들의 머리 위를 지나갔다. 감사는 이미 시꺼멓게 불타 버린 골짜기 아래를 향하여 달렸다. 발밑에는 불타 죽은 관군들의 시체가 짓밟히고, 불에 타다 남은 나뭇가지들은 쉴새없이 감사의 몸으로 날아 떨어졌다. 감사는 그 속을 뚫고 계속 달렸다. 이제 살 길은 오직 이 불을 뚫고 나가는 길밖에 없다고 생각했다. 산 위에서 이 광경을 내려다보고 있던 길동은 산이 떠나가라 하고 크게 소리쳤다.

"달아나는 감사를 쫓지 말고 길을 터 드려라."

싸움은 싱겁게 끝이 나고 말았다. 길동은 부하들을 모아 놓고,

"싸움은 끝이 났다. 이 싸움에서 우리는 완전히 이겼다. 그러나 우리의 희생도 없지 않을 테니, 죽은 시체를 일일이 점검하고 부상자가 있거든 치료해 주도록 하라!"

하고 지시하였다.

몇 시간이 걸렸는지 모른다. 이 골짜기 저 골짜기의 시체를 점검하던 부하 몇 명이 달려와서 길동에게 보고하였다.

"행수님, 적병 중에는 우리를 배반한 두칠이와 꺽쇠도 끼여 있었습니다. 그들의 시체도 골짜기에서 발견되었습니다."

"음, 역시 천벌을 받았구나! 그리로 가 보자."

길동은 김지 부장을 데리고 부하들을 따라 골짜기로 내려갔다. 거기에는 두칠이와 꺽쇠의 시체가 나란히 누워 있었다.

길동은 죽은 시체들을 잘 묻게 하고, 활빈당원의 시체는 산 채로 운반하게 하였다. 그리고 두칠이와 꺽쇠는 같이 묻고 길동이 손수 비문을 써서 무덤 앞에 꽂아 놓았다. 비문에는 이렇게 씌어 있었다.

'두 배반자의 무덤'

여덟 명의 홍길동

간신히 목숨만 건져 감영으로 돌아온 감사는, 살아 돌아온 병졸과 군관들에게 엄중히 함구령을 내렸다.

"이번에 우리가 홍길동을 잡으러 출동했다가 패했다는 이야기를 어느 누구에게라도 발설했다가는 살아남지 못할 것이다!"

그도 그럴 것이, 홍길동의 무리를 얕보고 단독으로 나갔다가 패했으니, 만일 이 일을 상감께서 아시는 날이면, 중벌을 받을 것이 뻔했기 때문이다.

어느 날, 길동은 부하들을 모아 놓고 다음 거사를 의논하다가 이렇게 말하였다.

"이제 우리가 여러 감영을 쳐서 백성들에게 전곡을 나눠 준 소문이 자자할 뿐 아니라, 요전 싸움에서 패한 감사가 이번에는 더 많은 군사와 무기를 동원하여 쳐들어올 것이니, 오래지 않아 잡힐지도 모른다."

"그게 무슨 말씀이십니까? 아무리 관군이 밀어닥친다 해도 우리를 당할 자는 없습니다. 우리는 죽을 때까지 힘을 다해 싸울 것입니다."

마숙이 자신 있게 말하였다.

"행수님, 부장 말씀이 옳습니다. 우리를 당할 자는 없습니다."

김지도 맞장구를 쳤다.

"걱정할 것 없다. 나의 재주를 보라!"

길동은 곧 허수아비 일곱 개를 만들어 주문을 외고 생명을 불어넣으니, 일곱 길동이가 되었다.

"야, 참 신기한 일이다!"

부하들은 일제히 소리를 질렀다. 아무리 보아도 어느 것이 진짜 길동인지 분간할 수 없었다.

"자, 이제 너희는 팔도로 흩어져서 백성을 괴롭히는 탐관오리들을 모조리 찾아내어 징계하라! 그리고 동지를 모아 가난한 백성을 구하라!"

길동은 이렇게 명령하고, 길동 한 명당 부하 50명씩을 붙여 주었다.

"그럼, 오늘은 잔치를 베풀어 사기를 돋워 주도록 한다."

"예!"

부하들은 일제히 떠들며 기뻐하였다.

그 날은 밤이 깊도록 먹고 마시며, 앞으로 할 일들을 의논하였다. 이튿날 아침, 본진을 떠나는 활빈당원들은 그야말로 싸움터로 나가는 용사 같았다. 이리하여 여덟 길동이 팔도를 다니며, 바람을 부르기도 하고, 또 비를 내리게 하는 술법을 써서 각 고을의 창고를 털어 가난한 백성들에게 나누어 주었다. 그뿐만이 아니었다. 서울로 올라가는 봉물짐까지도 모조리 빼앗았다. 그 때문에 각 고을이 소란하고 벼슬아치들은 밤에 잠을 이루지 못하였다.

"어쨌든 홍길동은 사람이 아니라 귀신이야. 바람같이 나타났다가 바람같이 사라지니 말야."

"이제 홍길동이 좋은 세상을 만들어 놓을 거야."

"그러나 홍길동 장군의 산채가 어딘지 알기만 하면 찾아가 모실 텐데……."

이처럼 저마다 제멋대로 홍길동에 대한 소문을 퍼뜨리고 있었다. 여덟 명의 홍길동이 팔도를 다니며 탐관오리들을 요절냈기 때문에, 그런 소문이 퍼지는 것도 무리가 아니었다. 활빈당 행수 홍길동이라는 말만 들어도 관가에서는 벌벌 떨었다. 길동이 팔도로 다니며 각 고을 수령의 정당치 못한 재물이 있으면 빼앗고, 집이 가난한 사람이 있으면 구제하며, 백성들 집은 하나도 범하지 않았다. 그러니 백성들은 오히려 자기

고을에 홍길동이 나타나 주길 은근히 바라기까지 하였다.

몸이 단 것은 관가였다. 아무리 나졸들을 풀어 홍길동을 잡으려 하였으나, 어느 때 나타나서 어느 때 사라지는지 증거를 잡을 수가 없었다. 고을 감사는 할 수 없이 상감께 장계를 올렸다.

난데없는 홍길동이라는 큰 도둑이 있어서 각 고을의 재물을 탈취하여, 상감께 바치는 물건이 올라가지 못하고, 그 도둑의 수중에 들어가는 형편입니다. 그 도둑을 잡지 못하면 장차 이 나라가 어느 지경에 이를지 모르니, 바라건대 좌우 포청으로 하여금 잡게 하소서.

상감이 장계를 보고 포도대장을 불러 이 일을 의논하였다. 그런데 다른 도에서도 똑같은 장계가 올라오자 상감은 크게 노하였다.

"그래, 홍길동이라는 도둑 하나를 잡지 못하고 팔도 각처에서 이런 장계를 올리느냐? 홍길동이 도대체 몇 놈이나 되기에 한날 한시에 여덟 고을이 습격을 당했단 말인고?"

"아뢰옵기 황송하오나, 홍길동이라는 자가 예사 도둑이 아닌가 하옵니다."

포도대장이 두 손을 모아 사죄를 하였다.

"예사 도둑이 아니라면 무엇이란 말인고. 옛날 중국의 치우라도 닮았단 말인가?"

"홍길동의 용맹과 술법은 비상하다고 합니다."

"아무리 비상한 놈이라고 하여도 어찌 한 몸이 팔도에 나타나 한날 한시에 도둑질을 한단 말이냐?"

"그놈은 축지법을 쓰고 바람과 비를 마음대로 부른다고 합니다."

"그래, 그놈이 서울 장안에도 들어왔다는 말이냐?"

"아직 장안에는 들어오지 않은 줄로 아옵니다."

"그럼, 한시바삐 그놈을 잡도록 하라."

"네!"

포도대장은 상감 앞을 물러나왔으나, 홍길동을 잡기란 하늘의 별을 따는 것보다 더 어려운 노릇이었다.

한 달이 지나도 홍길동을 잡았다는 소식은 들어오지 않고, 나날이 홍길동의 행패에 대한 장계만 올라왔다.

상감은 내전 회의를 열어 대책을 논의하였다.

"홍길동이란 도둑은 보통 도둑이 아니니 잡기 어려울 것이다. 그러니 좌우 포장이 진군하여 그 도둑을 잡으라!"

"우포장 이흡 아뢰오. 소신이 비록 재주는 없사오나, 그 도둑을 잡아 올리겠으니 상감께서는 근심 마옵소서. 조그만 도둑으로 말미암아 어찌 좌우 포장이 다 발군을 하겠습니까?"

"옳은 말이로다. 그럼 곧 발군하라."

이흡은 상감 앞을 물러나와 곧 발군할 준비를 서둘렀다.

큰코다친 이흡

이흡은 우선 홍길동을 잡으려면 그의 소굴을 알아야 할 것이라고 생각하였다. 그래서 포교 중에서 믿을 만한 사람 여덟 명을 뽑아, 그럴듯 하게 변장을 시킨 다음에 각 도로 하나씩 보냈다.

그리고 활빈당과 홍길동에 관한 정보를 알아내어, 8월 초닷샛날에 문경 어느 주막에서 모이기로 하였다.

그가 문경으로 집합 장소를 정한 것은 물론 까닭이 있었다. 문경은 활빈당 패거리가 처음으로 해인사 재물을 빼앗아다가 백성들에게 나누어 준 곳이기 때문에, 활빈당의 본거지가 틀림없다고 생각했기 때문이다. 설사 홍길동이 본거지를 옮겼다 하더라도 그 곳에서 수소문하면 그의 종적을 알 수 있을 것이다.

이흡은 백 명의 군졸들에게 한두 명씩 남의 눈에 띄지 않게 약속한 날에 문경으로 흘러 들어오라고 일렀다. 그리고 자기는 먼저 하인 세 명만 데리고 괴나리봇짐을 지고 행인으로 차리고, 홍길동이 나타났다는 곳을 하나둘씩 돌기 시작하였다. 이흡은 한 달을 두고 돌아다녀 봐도 홍길동의 그림자도 찾지 못하였다. 그는 팔도에 나가 있던 포교들이 혹시 좋은 소식을 가져올까 기대를 해 보았지만, 별로 신통한 정보가 없었다. 그는 혼자 침울하게 앉아 술만 퍼마시고 있었다.

그 때, 한 소년이 나귀를 타고 오다가 내리더니 주막으로 들어왔다. 늠름하고 건장한 소년이었다.

이흡은 심심하기도 하고, 또 소년에게 홍길동에 대한 무슨 좋은 정보라도 얻을 수 있지 않을까 하는 생각으로 말을 붙였다.

"이보게, 어디 가는 길인가?"

"네, 설악산에 갔다가 문경으로 오는 길입니다."

"여기서 설악산이 얼마나 먼데, 어린 소년이 혼자서 갔다 오나?"

"다 이유가 있지요. 하지만 손님이 그것을 알아서 무엇 하겠소? 이 뒤숭숭한 세상에……."

"아니, 무슨 이유가 있는지 말해 보게. 혹시 내가 힘이 되어 줄지 알 겠나?"

"손님은 그만한 힘이 없을 것 같습니다."

"힘이 없다니?"

"홍길동을 잡을 만한 힘이 없다는 말입니다."

"뭐, 홍길동?"

이흡은 귀가 솔깃해졌다. 반갑기도 하고 놀랍기도 하였다.

"홍길동이 팔도로 돌아다니면서 장난이 심해 민심이 소란하니, 어찌 이놈을 잡지 않고서야 편안하게 살 수 있겠습니까?"

"그래, 자네는 홍길동을 잡을 만한 재주라도 가졌다는 말인가?"

"그건 두고 봐야 알겠지만, 그놈은 저의 원수입니다."

"뭐, 원수라고?"

"네, 그놈 때문에 저의 아버지께서 돌아가셨어요. 그래서 저는 원수를 갚기 위하여 한라산에 들어가 무예를 익혔습니다. 듣자 하니 길동이 설악산에 있다가 문경으로 왔다는 말을 듣고, 원수를 갚으려고 찾아가는 길입니다."

"음, 그런 곡절이 있었군. 그럼 잘됐네. 나하고 같이 그놈을 잡아 보세."

"아니, 손님은 누구신데, 홍길동을 잡으려 하십니까?"

"나도 그놈과 원수 사이지. 그래, 그놈이 설악산에 있다가 이리로 왔다는 것이 확실한가?"

"저도 들은 말이라, 산으로 가 봐야 알겠습니다."

"그럼, 잘됐네. 나하고 같이 가세."

소년은 이흡의 재주를 믿을 수 없기에 같이 갈 수 없다고 하였다. 그러면서 내기를 해 보자고 하였다.

이흡은 소년이 자기를 얕보는 것 같아 괘씸한 생각도 들었지만, 이 소년이 능히 길동을 잡을 만한 재주가 있는지 시험해 보고 싶었다. 그래서 소년이 하자는 대로 뒤를 따라갔다.

소년은 낭떠러지 위에 있는 높은 바위에 올라앉아 자기를 힘껏 밀어 보라고 하였다. 이흡은 낭떠러지로 굴러 떨어질 것이 염려되어 망설였다. 그래도 소년은 걱정 말고 발로 차 보라고 하였다. 이흡은 처음에는 굴러 떨어질 것을 염려하여 살짝 찼다. 그러나 꼼짝도 하지 않았다.

"어서 마음 놓고 힘껏 차십시오. 내기란 상대편을 이겨야 하는 것이니, 힘껏 해야 할 것 아닙니까!"

하긴 그렇다. 내기를 하는데 사정을 봐 줄 필요는 없었다. 그렇지만 다른 내기라면 몰라도 이것은 사람의 목숨이 달려 있는 일이었다. 그래도 힘껏 차라고 하는 데는 사정을 둘 필요가 없었다.

"그럼, 이번엔 정말 힘껏 찰 테니, 각오하게."

이흡은 이렇게 말하고, 있는 힘을 다해 두 발로 냅다 찼다.

그런데도 소년은 꿈쩍도 하지 않고, 문득 돌아앉으며 말하였다.

"과연 손님은 보기 드문 장사이십니다. 여러 사람을 시험해 보았으나, 나를 움직이게 하는 사람이 없었는데, 손님께서 차니 오장이 울리는 듯합니다."

이흡은 자신도 모르게 꿇어앉으며 말하였다.

"그대야말로 뛰어난 장사로다. 그렇게 힘껏 차도 요동을 하지 않으니, 그 힘이 정말 무섭도다."

"이제야말로 홍길동을 잡을 만한 사람을 만났습니다. 우리 같이 힘을 합해서 잡아 보도록 합시다."

"어떻게 하면 잡을 수 있겠나?"

"저만 따라오십시오. 저는 그놈을 잡으려고 가 보지 않은 곳이 없습니다. 설악산에서 문경으로 옮긴 것도 알아냈습니다. 그러니 이제 홍길동을 잡는 것은 시간 문제입니다. 저를 믿으십시오. 이제 우리가 힘을 합치면 제아무리 홍길동이라도 꼼짝 못할 겁니다. 제가 점 찍어 둔 곳이 있으니 따라오십시오."

이흡은 가만히 생각해 보았다. 이 정체를 알지도 못하는 소년을 따라

갔다가 큰 봉변이라도 당하면 어떻게 할까 생각하였다. 그렇지만 이 소년은 홍길동과 원수 사이이고 또 그만한 담력과 재주를 가졌으니, 둘이 힘을 합치면 홍길동도 무섭지 않을 것이라 생각하고 소년의 뒤를 따르기로 결심하였다. 소년은 한참 동안을 숲 속으로 들어가더니, 돌문 앞에 서서 뒤돌아보며 말하였다.

"저 곳이 그놈들의 굴인 듯한데, 제가 먼저 들어가 동정을 살피고 오겠습니다."

이흡은 의심이 났지만, 그렇다고 그냥 돌아가는 것도 쑥스러웠다.

"그럼, 들어가 보고 그놈이 있으면 나한테 알려 주게."

이흡은 소년을 들여보내고, 밖에서 이 생각 저 생각을 하며 기다리고 있었다.

그 때였다. 수십 명의 군졸들이 달려오며 소리를 질렀다. 이흡은 깜짝 놀라 도망치려고 하였으나, 도망갈 곳이 없었다. 그렇다고 맨주먹으로 수십 명을 당해 낼 재주는 없었다.

'그 녀석한테 속았구나!'

이흡은 이를 갈았으나 이미 늦었다.

적은 이흡을 꽁꽁 묶어 어디론가 끌고 갔다. 그 곳에는 누런 수건을 두른 장사들이 좌우에 죽 늘어서 있고 군왕이 옥좌에 앉아 엄한 소리로 말하였다.

"네가 보잘것없는 몸으로 어찌 홍길동 장군을 잡으려 하느냐? 그 죄로 너를 지옥에 보내노라."

"소인은 보잘것없는 몸인데, 아무 죄도 없이 잡혀 왔으니 살려 주소서."

"하하하, 이 사람아. 나를 자세히 보라. 내가 바로 활빈당 행수 홍길동이다."

이흡은 그 말을 듣고 벌벌 떨었다. 홍길동을 잡으러 왔는데 오히려 홍길동에게 잡히는 몸이 된 것이다. 이제 무사히 돌아가기는 틀린 것 같다고 생각하였다.

"네가 나를 잡으려는 것을 알고, 너의 힘을 시험해 보고자 내가 어린 소년이 되어 너를 이 곳으로 인도해 온 것이다. 지금도 나를 잡을 뜻이 있느냐?"

"어찌 그런 마음을 먹겠습니까? 부디 살려만 주십시오."

"동지들, 포도대장을 끌러 주고 잘 대접하라!"

길동은 이흡과 마주 앉아 술을 권하며 말하였다.

"그대는 부질없이 나를 잡을 생각 말고 빨리 돌아가는 것이 좋을 것이오. 그러나 나를 보고도 잡지 못했다고 하면 반드시 벌을 받을 터이니 알아서 하시오."

"죽은 줄 알았던 몸이 이런 대접을 받으니 황송합니다."

"우리 활빈당은 사람을 함부로 죽이지 않으니, 염려 말고 돌아가시오."

포도대장은 이것이 꿈인지 생시인지 알 수가 없었다. 어쨌든 돌아가라는 말을 듣고 일어서 가려고 하니, 어찌 된 일인지 팔다리를 움직일 수가 없었다. 정신을 차려 자세히 살펴보니 자신이 가죽 부대 안에 들어 있었다.

'거 참, 이상한 일이다!'

이흡은 중얼거리며 간신히 가죽 부대에서 나왔다.

그런데 나와 보니 부대 세 개가 나무에 걸려 있었다. 이흡은 부대를 차례대로 열어 보다가 소스라치게 놀랐다.

"아니, 너희가 어찌 된 일이냐?"

그들은 서울에서 같이 내려온 하인들이었다.

이흡은 정신을 차리고 주위를 둘러보았다. 홍길동이 앉아 있던 궁궐은 온데간데없고, 자신들은 장안 성북산에 올라와 있었던 것이다. 포도대장은 하인들에게 영문을 물었다.

"저희도 모르겠습니다. 주막에서 자는데, 꿈인지 생시인지 갑자기 바람에 싸여 정신없이 이리로 왔습니다."

"거참, 맹랑한 일이다. 이 일을 누구에게도 발설해서는 안 된다. 그러나 길동의 재주가 귀신 같아서 우리는 도저히 잡을 수 없다. 그렇다고 이대로 돌아가면 벌을 면치 못할 것이니, 몇 달 후에 때를 봐서 돌아가자."

이흡은 이렇게 말하고, 부하를 데리고 다시 문경을 향하여 길을 떠났다.

사람인가, 귀신인가

상감은 포도대장을 시켜 홍길동을 잡아 올리라 이르고 한 달을 기다렸으나, 아무 소식이 없고, 각 고을 감사로부터 홍길동에게 피해를 입은 장계만 올라오자 어전 회의를 열었다.

"홍길동이란 놈이 아마도 사람이 아니라 귀신인 모양이니 이를 어찌하면 좋겠소?"

"아뢰옵기 황공하오나, 홍길동은 귀신이 아니고 전임 홍 판서의 서자요, 병조 좌랑 홍인형의 동생입니다. 그러니 그 부자를 잡아 다스리시면 자연 알게 되실 것이옵니다."

"곧 그 아비는 금부에 잡아 가두고, 인형을 먼저 잡아들여 죄를 다스리도록 하여라."

어명대로 인형을 잡아들이자, 상감이 직접 신문을 하였다.

"길동이란 도둑이 너의 동생이라고 하는데, 어찌 잡아들이지 않고 그냥 두었다가 나라에 큰 근심을 사게 하는고?"

"황공하옵니다. 신의 천한 아우 길동이 일찍이 사람을 죽이고 도망한 지 수년이 되어도, 죽었는지 살았는지 알지 못하여, 신의 늙은 아비는 그 일로 병을 얻어 누워 계신 지 오래입니다. 그런데 길동이 불측하게도 성상께 근심을 끼쳐 드리니, 신의 죄 만번 죽어 마땅하옵니다."

인형은 머리를 땅에 조아리고 사죄를 하였다.

"이제 너의 살 길은 하나, 길동을 빨리 잡아들여 나의 근심을 없게 하거라."

"황공하옵니다. 바라옵건대 신의 아비 죄를 사하사 집에 돌아가 병환을 치료케 해 주시면, 신이 죽기를 맹세하고 길동을 잡아 죄를 씻을까 합니다."

"음! 너의 그 마음 기특하게 여겨 너의 아비를 돌려보내겠다. 만일 길동을 잡지 못하는 날에는 너의 부자의 충효를 돌아보지 않을 것이다. 알겠는가?"

"네, 반드시 길동을 잡아들여 성상의 근심을 풀어 드리겠습니다."

"그러면 너의 아비를 돌려보내고, 너를 경상 감사에 봉한다. 1년의 기한을 줄 것이니, 그 안에 반드시 길동을 잡아들이도록 하라."

인형은 상감 앞을 물러나와, 그 날로 경상도로 떠났다. 그는 부임 즉시, 각 고을에 방을 붙여 길동을 달랬다.

길동이 보아라. 너로 말미암아 아버님은 병이 나시고, 또한 상감께서 걱정하시니, 네 어찌 자식이고 신하라 하겠는가? 상감께서는 나를 경상도 감사로 내려 보내시고 너를 거두어들이라고 하시니, 때를 놓치지 말고 네 스스로 나타나거라. 그렇지 않으면 우리 집안

은 망하고 만다.

경상 감사 홍인형

　홍 감사는 이 방을 각 고을에 붙이고, 길동이 나타나기만을 기다렸다. 어느 날이었다. 통인이 급히 들어와 말하였다.

　"어떤 소년이 나귀를 타고 하인을 수십 명을 데리고 와서 대감 마님을 뵙겠다고 합니다."

　인형은 눈이 번쩍 뜨였다.

　"어서 들라 하라."

　들어오는 소년을 보니 틀림없는 길동이었다. 얼굴이 더 의젓해지고 기골이 장대해졌지만, 어릴 때의 그 영특하던 기상은 여전히 감돌고 있었다. 인형은 한편 놀라고, 한편 기뻐하며 길동의 손을 덥석 잡고 말하였다.

"길동아, 잘 왔다. 네가 집을 나가자 죽었는지 살았는지 알지 못해 아버님은 근심 끝에 드디어 병이 나시고, 또한 나라를 소란하게 하였으니 이런 불충 불효한 죄가 어디 있겠느냐? 너의 죄는 피하지 못할 것이니 순순히 오라를 받아라!"

인형은 눈물을 흘렸다.

"죄송합니다. 이 몸 때문에 집안에 화를 미치게 한 죄, 죽어 마땅합니다. 천한 아우 스스로 나타난 것은 아버님과 형님의 위태함을 구하고자 함이니, 어찌 다른 말이 있겠습니까? 어서 이 아우를 서울로 잡아 올리십시오."

"길동아, 내 손으로 너를 묶어 보냄이 형제의 도리는 아니나, 감사의 직분으로 너를 묶는 것이니 서운해하지 말거라."

"그 일은 이미 각오하고 나타난 것이니, 서운해하지 않을 것입니다. 처음부터 아버지를 아버지라고, 형을 형이라고 부르게 했어도 이 지경은 안 되었을 것입니다. 그러나 지난 일을 이야기하여 무엇 하겠습니까!"

"다 이 형이 못난 탓이고, 나라의 법이 또한 그러한 것이니, 너무 섭섭해하지 말아라."

인형은 형리를 불러 길동을 옥에 가두라고 일렀다.

감영 안이 갑자기 소란스러워졌다. 병영에서는 홍길동이 나타났다는 말을 듣고 군졸들이 달려와 감영 담 밖을 몇 겹으로 둘러싸고 지켰다. 길동은 손과 발이 묶였다. 그 날로 길동은 서울로 압송되었고, 경상 감사 홍인형의 놀라운 장계는 밤을 달려 서울 대궐에 도착하였다. 홍길동이 붙잡혀 온다는 소문을 듣고, 각 고을의 백성들은 그의 얼굴을 보기 위하여 길을 메웠다. 그런데 팔도에서 각각 한 명씩의 홍길동을 잡아

올렸다. 조정과 백성들은 그 영문을 몰랐다. 상감의 놀라움도 컸다. 상감이 여덟 명의 홍길동을 친히 문초하였다.

그런데 서로 자기가 홍길동이라고 하는 것이었다. 키나 생김새나 목소리까지 똑같아 도저히 구분을 할 수 없었다.

"상감 마마, 제 자식을 알아보는 건 아비를 따를 자가 없습니다. 길동의 아비를 불러들이는 것이 마땅한 줄 압니다."

대신 중 한 명이 아뢰었다.

얼마 후에 홍 판서가 붙잡혀 와서 꿇어 엎드렸다.

"이 여덟 중에서 네 아들을 찾아내라."

홍 판서는 머리를 조아리며 말하였다.

"신의 천한 아들 길동은 왼쪽 다리에 붉은 점이 있으니 살피시면 아실 것입니다. 너 길동이 이놈! 눈앞에 상감 마마가 계시고, 아래로 네 아비가 있거늘, 이렇듯 천고에 없는 죄를 짓고도 살기를 원하느냐?"

말을 마치고 홍 판서는 피를 토하고 기절해 버렸다. 상감은 이것을 보고, 크게 놀라 의원을 불러 치료하게 하였으나, 아무 차도가 없었다.

"아버님!"

기절한 아버지를 보자, 여덟 길동은 눈물을 주르르 흘리며, 주머니에서 환약 한 알씩을 꺼내어 입에 넣어 주었다. 그러자 얼마 후에 홍 판서가 정신을 차렸다.

"신의 아비가 나라의 은혜를 많이 입었으니, 신이 어찌 나쁜 일을 하겠습니까? 신은 본시 천비의 소생이라, 그 아비를 아비라 못하고, 그 형을 형이라 부르지 못하여 평생의 한이 되었고, 천비 소생이라 문과를 해도 옥당에 참례하지 못할 것이며, 무과를 하여도 선전관에 그칠 것입니다. 그래서 집을 버리고 도둑의 무리가 되었습니다. 그러나 백성은 털끝만큼도 범하지 않았고, 각 고을의 수령이 백성의 피를 빨아

모은 재물을 탈취하여 가난한 백성을 구제했을 따름입니다. 성상께서는 근심하지 마시고 신을 잡으라는 영을 거두십시오."

말을 마치고 여덟 길동이 한꺼번에 꿇어 엎드렸다. 상감이 굽어보니 꿇어 엎드린 길동이 모두 허수아비였다.

"이게 어찌 된 일인가! 바삐 홍길동을 잡아들여라!"

상감은 놀라 다시 홍길동을 잡으라는 영을 내렸다.

쫓겨난 임금

길동은 조선을 떠나기로 결심하였다. 이 나라에서는 서자의 몸이라 큰일도 할 수 없거니와 벼슬아치들이 백성은 돌보지 않고 서로 당파 싸움만 하는 것이 보기 싫었다. 차라리 어느 섬에라도 가서 2천 명의 부하들과 조용히 살고 싶었다.

그래서 부하들에게 잠시 다녀올 데가 있으니 조용히 기다리고 있으라고 이르고, 영원히 살 곳을 찾아 떠났다.

길동은 구름을 타고 청나라 남경으로 가다가 어느 곳에 이르렀는데, 그 곳이 꿈에 그리던 율도국(남양의 큰 섬으로 가상의 지명)이라는 섬이었다.

'음, 참으로 아름다운 곳이다!'

길동은 이 곳에 내려 주변을 살펴보았다. 산과 바다가 참으로 아름답고 인물이 번성할 곳으로 보였다. 길동은 다시 남경의 제도라는 성 안에 들어가 산천도 구경하고 인심도 살피다가 오봉산에 이르렀다. 오봉산은 둘레가 7백 리고, 들과 전답이 많아서 사람 살기에 적당하였다. 그는 이 곳에 숨어 살다가 뒤에 큰일을 도모하리라 결심하였다. 산으로 돌아온 길동은 부하들에게 양천 강가에서 큰 배 세 척을 만들어 5월 초하룻날 한강에 대령하라고 일렀다. 길동은 마숙만을 데리고 서울로 올라왔다. 이 때 장안의 민심은 더욱 소란하였다. 서쪽에서 물을 건너 오랑캐가 쳐들어오고 있다는 소문도 돌았다. 또 남대문과 동대문에는 이런 글이 큼직하게 붙어 있었다.

'3월이 오면 서울의 주인이 바뀐다.'

사람들은 짐을 싸서 시골로 가기도 하였다.
"행수님, 아무래도 무슨 일이 일어날 것 같습니다."
"윗자리에 앉았다는 놈들이 당파 싸움만 하고 백성들을 돌보지 않으니, 누가 되었든 난을 일으키겠지."
길동은 은근히 때를 기다리는 마음이었다.
이 때 마침 송도 일대에 호랑이 피해가 심각하여 임금은 평산 부사를 불러다가 연안에 있는 호랑이를 잡으라고 하였다. 평산 부사는 호랑이를 잡아다 임금에게 바쳐 칭찬을 받고, 호랑이를 계속 잡으라는 명령을 받았다.
이후부터 평산 부사는 장단 부사와 함께 호랑이를 잡으러 다니며 서로 모의를 하였다. 두 사람은 먼저 포악하고 제 욕심만 챙기는 임금을 몰아 내고 새 임금을 모시기로 결정하였다.
평산 부사는 몰래 서울로 들어와 평소 뜻을 같이하던 관리들과 함께 임금에 대한 반란 계획을 세웠다. 거사 날짜는 3월 13일로 정해졌다. 마침 평안 감사가 서울에 머물고 있었는데, 평산 부사는 평안 감사에게도 군사를 거느리고 약속한 날짜에 홍제원(중국 사신들이 서울에 들어오기 전 임시로 묵던 곳)으로 오라고 통보하였다.
홍길동은 이 일을 알고 어느 날 평산 부사를 찾아갔다.

"소인 홍길동 문안이오."

길동은 공손히 인사를 드렸다.

"그래, 나라에서는 그대를 잡으라는 영이 내렸는데, 어떻게 이 곳을 찾았소?"

"아직 할 일이 있어서 대감을 찾아왔습니다."

"할 일이라니?"

"대감께서 계획하고 계신 일을 소인도 도와드릴까 합니다."

평산 부사는 가슴이 뜨끔하였다.

"다 알고 있습니다. 소인의 당원이 천여 명에 달하니, 이번 거사에 써 주십시오."

평산 부사와 길동은 밤이 깊도록 거사할 모의를 꾸미고, 약속한 날짜에 길동의 당원들은 장의문 밖에서 쳐들어오기로 하고 헤어졌다.

거사 날이 되었다. 반란군은 각자 맡은 지역에서 군사를 데리고 궁으로 쳐들어갔다. 장의문에는 선전관이 군사 50여 명을 데리고 문을 지키고 있었는데, 홍길동의 군사가 쳐들어온다는 말을 듣고는 대항 한번 하지 않고 달아나 버렸다.

호위하는 군사들도 모두 달아나고 내시 몇 명만 남아 있자 임금도 북문을 뛰어넘어 달아났다. 군사들은 궁중 안으로 이리저리 몰려다니며 원한을 풀려 하였다.

아침이 되자 새로운 임금은 돈화문 안으로 들어가 대궐 뜰에 높이 앉았다. 그는 평소 당파 간의 갈등을 해결하려 하였고, 무엇보다 백성들의 생활에 관심이 많았다.

새로운 임금은 왕위에 오르자마자 공신들에게 벼슬을 내렸다. 홍길동은 병조판서라는 높은 자리에 올랐다. 꿈만 같은 일이었다. 이제는 천첩 소생도 높은 자리에 오를 수 있다는 전례를 만든 것이었다. 길동은 이것만으로 만족하였다. 오래 있으면 어느 사람의 모함을 받게 될지 모른다. 차라리 그 전에 벼슬을 내놓는 것이 좋으리라고 생각하였다.

'그렇다. 이제 내 뜻을 이루었으니, 율도국으로 가자. 그래서 낙원을 만들자.'

병조판서에 오른 지 한 달이 되는 날, 길동은 임금 앞에 나아가 자신의 뜻을 밝혔다.

"이제 소신의 한을 풀어 주시어 더이상 바랄 것이 없으니, 병조판서의 직은 거두어 주시고, 벼 천 석만 주십시오. 그러면 이 나라를 떠나 율도국으로 가고자 합니다. 허락하여 주십시오."

임금은 길동이 보통 인물이 아님을 알아 두려워하고 있었다. 곧 길동의 뜻을 받아들이고, 벼 천 석을 서강으로 실어 보내 주었다.

길동은 벼 천 석을 싣고, 3천 당원을 데리고 남경 땅 제도섬으로 갔다. 그 곳에 집 수천 호를 짓고, 농사를 지어 부하들을 배불리 먹였다. 그뿐만 아니라, 군기 만드는 법도 연구해 내고, 군법도 만들어 그야말로 병력과 양식을 충분하게 하였다. 그리하여 당원들은 행복한 나날을 보내게 되었다.

율도국의 발견

하루는 길동이 여러 부하들을 모아 놓고 말하였다.

"망당산에 들어가 살촉에 바를 약을 얻어 가지고 올 터이니, 그대들은 그 사이에 바다를 잘 지키고 있으라!"

길동은 그 날로 배를 타고 떠나 수일 만에 망당산 가까운 낙천이라는 곳에 이르렀다. 이 곳에 만석꾼으로 불리는 부자가 있었는데, 이름은 백룡이었다. 그는 딸 하나를 두었는데, 그녀는 인물과 재주가 비범하고,

학식이 높았으며, 검술이 뛰어나 천하의 영웅이 아니면 시집을 가지 않겠다는 소문이 자자하였다.

그런데 어느 날, 갑자기 비바람이 불고 천지가 아득하더니 그 딸이 없어졌다. 백룡 부부의 슬픔은 이루 말할 수 없었다. 아무리 찾아도 딸이 있는 곳을 알지 못하였다. 백룡 부부는 밤낮을 가리지 않고 눈물로 천지를 헤매며, 자기 딸을 찾아 주면 만금을 주고 사위로 삼겠다고 하였다.

이 때 마침 길동이 이 곳을 지나갔다. 길동은 돈에는 욕심이 없었지만 두 부부가 불쌍하였다.

'내가 구할 수만 있다면 무슨 위험을 무릅쓰더라도 구해 주고 싶다.'

길동은 망당산으로 들어가 약초를 캤다. 그러다 보니 어느덧 날이 저물었다.

이 때 멀지 않은 곳에서 사람의 소리가 나며 등불이 보였다. 길동은 그 곳으로 가까이 갔다. 그런데 그 곳에는 수많은 요괴들이 모여앉아 수군수군 지껄이고 있었다. 요괴들은 얼핏 보기에는 사람과 비슷하지만 '울동'이라는 짐승이 오래 묵어 여러 가지 모양으로 몸이 변한 것이다. 천하 장수 길동도 그 요괴들을 보고 처음에는 놀랐다. 길동은 소리나지 않게 조심하여 요괴들을 향해 활을 한 발 쏘았다. 그 중 한 놈에게 맞았는지 이상한 소리를 내며 도망을 갔다. 길동은 큰 나무에 의지하여 밤을 새우기로 작정하였다.

아침이 되어 길동은 이리저리 다니며 약초를 캐고 있었다. 그 때 문득 요괴 셋이 나타났다. 요괴는 아무도 다닐 수 없는 곳에 무슨 일로 왔느냐고 물었다.

"네, 저는 조선 사람으로 의원입니다. 이 곳에 선약이 있다는 말을 듣고 약초를 캐러 왔습니다."

이 말을 듣고 요괴는 몹시 기뻐하였다. 그 요괴는 대왕이 어제 천살을 맞아 목숨이 위험하니 치료를 해 주면 은혜를 갚겠다는 말을 하였다. 길동은 요괴를 따라 대왕이 있는 집으로 갔다. 호화찬란한 방에 대왕 요괴가 누워 신음을 하다가, 길동이 오는 것을 보고 겨우 일어나 앉았다.

대왕은 자기를 살려 달라고 애원하였다. 길동은 자기가 가지고 다니던 약 중에서 독약 하나를 꺼내어 따뜻한 물에 풀어 먹였다. 잠시 후, 대왕은 배를 두드리고, 눈을 실룩거리더니 그만 나가떨어지고 말았다.

그러자 요괴들이 칼을 들고 달려들었다. 길동은 얼른 몸을 솟구치고 바람을 불러 타고 활을 쏘았다. 아무리 조화를 부리는 요괴들도 길동의 술법에는 도저히 당하지 못하였다.

길동은 요괴를 모조리 활로 쏘아 죽였다. 그런 다음 주변을 살펴보니 돌문 속에 두 소녀가 부둥켜안고 있었다. 길동은 그들을 요괴로 알고 쏘려 하였다. 그랬더니 두 소녀가 울며 애걸하였다.

"저희는 요괴가 아니라 사람이에요. 요괴에게 잡혀 왔어요. 살려 주세요."

"너희는 어디 사는 누구냐? '

"네, 저희는 낙천현에 사는데, 저는 백룡의 딸이에요. 이 애는 조철의 딸이고요."

"뭐, 백룡과 조철의 딸?"

길동은 너무 기뻤다. 두 소녀를 데리고 낙천현으로 가서 부모에게 사실대로 이야기해 주었다. 백룡 부부는 길동에게 몇 번이나 절을 올렸다.

조철 또한 죽었던 자식을 만난 듯 기뻐하며 길동에게 감사의 말을 수없이 하였다. 그 날 동네에서는 잔치가 벌어졌다. 동네 사람들도 길동의 재주를 입에 침이 마르도록 칭찬하였다.

다음 날, 백룡은 길동에게 사위가 되어 달라고 하였다. 이 때 길동은 이미 스무 살이 넘어 있었다. 길동은 그 처녀와 혼인할 것을 승낙하였다. 그들은 성대하게 결혼식을 올리고 부부가 되었다. 길동은 부하들 생각이 나서 장인 장모와 부인에게 자신의 뜻을 알렸다. 그래서 온 가족이 부하들이 있는 곳으로 가서 살기로 하였다.

어느 날, 길동은 어쩐지 마음이 편치가 않고, 무슨 슬픈 일이라도 당한 사람처럼 울적해졌다. 길동은 뒷동산에 올라가 천문을 살폈다. 얼마 후, 산에서 내려온 길동의 뺨에는 눈물이 흘러내리고 있었다. 그가 부인에게 말하였다.

"나는 천지간에 용서받지 못할 불효자식이오."

그는 자신의 출생부터 살아온 이야기를 부인에게 모두 해 주었다.

"비록 부모님 슬하를 떠나오기는 하였지만 한시도 안부를 염려하지 않은 적이 없었는데, 오늘 천문을 보니 아버님 병환이 위중하여 오래지 않아 세상을 버리시게 되어 있소. 몸이 만 리 밖에 있으니 임종을 당하여도 뵙지 못하겠구려."

그 말을 들은 부인이 같이 슬퍼하였다.

이튿날, 길동은 월봉산에 올라가 아버지의 묘지를 찾기 시작하였다. 그러다 아주 좋은 자리를 발견한 길동은 묘지를 닦기 시작하였다. 어느 임금의 능에도 뒤지지 않는 묘지가 완성되었다.

길동은 부하를 불러 말하였다.

"되도록 큰 배를 준비하여 조국 서강 강변에서 기다리도록 하여라."

길동은 작은 배를 타고 길을 재촉하여 조국으로 향하였다.

홍 판서는 길동이 나라를 떠난 후로는 아무런 근심이 없이 살더니, 이제 나이 80 고개에 이르자 너무 노쇠하여 시름시름 앓기 시작하더니, 날이 갈수록 위중해졌다.

하루는 부인과 인형을 불러 놓고 말하였다.

"내 나이 80에 지금 죽어도 한이 없으나, 다만 길동이의 생사를 몰라 눈을 감을 수가 없구나! 그 애가 죽지 않고 살아 있다면 반드시 찾아 올 테니, 서자라고 천대하지 말고, 잘 대접해 주거라."

이 말을 유언으로 남기고 숨을 거두었다. 모든 것을 극진히 치렀지만 묏자리가 준비되지 않아 가족들은 민망해하였다.

어느 날, 하인이 들어와서 문밖에 스님이 와서 조문하려 한다고 하였다. 그 스님은 들어오더니 영위 앞에 꿇어앉아 큰 소리로 서럽게 울었다. 인형은 그 스님이 누군지 궁금하였다.

"형님, 저 길동이입니다."

형제는 붙들고 울었다. 그 때 길동의 어머니가 들어왔다. 모자는 부둥켜안고 한참을 울었다. 길동은 궁금해하는 가족들에게 그 동안의 이야기를 해 주었다. 그리고 아버지를 모실 묏자리를 준비해 놓았다는 이야기도 하였다. 아버지의 영구를 모시고 서강으로 나가니, 길동의 분부를 받은 배가 이미 들어와 있었다.

배는 바람을 타고 바다를 쏜살같이 달려 제도섬에 이르렀다. 인형이 보니 참으로 아름다운 곳이었다.

길동은 산으로 올라가 아버지를 편안히 모셨다. 아주 호화로운 장례식이었다.

길동은 어머니와 형에게 부인을 인사시켰다. 어머니는 기쁨을 감추지 못하였다. 며칠 후, 인형은 아버지 묘에 하직 인사를 하고 돌아갔다.

율도국 정벌

어느덧 3년이 지났다. 아버지의 소상과 대상도 다 치렀다. 영웅 길동의 피는 다시 용솟음쳤다. 그는 부하들을 훈련시키고, 장수들을 모아 때가 오기만을 기다렸다.

길동은 부하들을 모아 놓고 말하였다.

"내가 고국을 떠나올 때, 율도국이라는 곳을 본 일이 있다. 지방 수천 리에 성벽이 또한 튼튼하여 우리가 영원히 살 곳이라고 생각해 왔다. 그래서 그 곳을 차지하기 위한 준비로 이 곳에 머물러 있었는데, 이제 내 마음이 동하는 것을 보니 때가 온 것 같다. 그대들은 나를 위하여 급히 병마를 정비하라!"

부하들은 밤낮을 가리지 않고 무기를 손질하고, 말을 돌보고, 군량을 정리하고, 그 날만을 기다렸다.

갑자년 가을, 길동은 전군을 거느리고 율도국 철봉산 기슭으로 내달았다. 난데없는 군마를 본 철봉 태수 김현충은 크게 놀라 군사를 거느리고 마주 나아가 싸웠다. 그러나 길동의 실력을 모르고 달려든 김현충은 크게 패하고 돌아가서는 성 문을 닫고 꿈쩍도 하지 않았다. 길동은 묘책을 세워 김현충을 유인해 냈다. 그리고는 사방에서 에워싸 버렸다. 황금 투구에 큰 칼을 든 길동이 당당히 걸어 나와 김현충과 대결을 하였다. 그러나 반 합도 안 되어 현충이 탄 말은 길동의 칼에 거꾸러지고, 현충은 땅에 굴러떨어졌다. 길동은 태수에게 항복을 받아 내고는, 다시 그를 철봉 태수로 임명하여 그 곳을 지키게 하였다. 길동은 군사를 몰아 율도국 왕을 치러 가기로 하였다. 그 전에 먼저 율도국 왕에게 편지를 보냈다.

의병장 홍길동은 율도 왕께 글월을 보낸다. 본디 임금이란 한 사람을 위한 임금이 아니고, 천하 만민을 위한 임금이다. 그러므로 탕이 걸을 치고, 무왕이 주를 친 것은 자연의 이법이다. 내 일찍이 만민이 내게 귀순하는 것을 보았다. 그러니 굳이 나와 싸우고자 한다면 맞서 싸울 것이고, 그렇지 아니하면 일찍 항복을 하라!

율도국 왕은 편지를 읽고 와들와들 떨면서, 한탄을 하다가 자결하였다. 길동은 싸우지도 않고 위풍당당하게 율도국을 차지하여 왕이 되었다. 왕위에 오른 길동은 상 줄 자는 상 주고 벌할 자는 벌 주고, 긴 세월 동안 고락을 같이해 온 부하들에게 벼슬을 내렸다.

마숙을 좌승상으로, 김지를 우승상으로, 좌철을 순무 안찰사로 삼았다. 그리고 부인 백씨를 왕비로 봉하고, 어머니를 대비로 봉하고, 장인 백룡을 부원군으로 봉하고, 아버지의 능 이름을 선릉이라고 하였다. 길동이 율도국 왕으로 지낸 지 3년, 나라가 태평하고 백성은 배부르게 살았다. 어느 날, 왕은 잔치를 베풀다가, 문득 대비를 보고 말하였다.

"어머니, 제가 그 특재란 자의 손에 죽었다면 어찌 오늘의 영화를 누리겠습니까?"

이렇게 옛일을 회상하며 기쁨의 눈물을 흘리니 대비와 왕비도 눈물을 흘렸다.

길동은 조국의 임금님께 올릴 글월과 자기 집 홍씨 댁에 전할 편지와 함께 벼 천 석을 실어 장인 백룡 편으로 보냈다. 이것은 처음에 조국을 떠날 때 임금이 준 벼 천 석에 대한 고마움의 표시였다.

임금은 길동이 벼 천 석을 가지고 나라 밖으로 간 지 10년이 되어가도록 아무 소식이 없어 이상히 여기고 있었다. 하루는 율도 왕이 올리는 글월이라며 사신이 편지를 가지고 왔다. 편지를 열어 보니 길동의 글이었다.

그 글을 읽고 난 임금은 크게 칭찬을 하였다. 임금은 즉시 참판 홍인형을 불러 이 글을 보여주었다. 인형은 그 글을 보고 임금께 엎드려 아뢰었다.

"신의 아우 길동이 다른 나라에 가서 비록 귀한 몸이 되었습니다만, 이것은 실로 상감 마마의 크나큰 은덕으로 말미암은 것이옵니다. 그러나 신의 아비 산소를 율도 근처에 썼으니 1년만 휴가를 주시면 다녀오겠습니다."

임금은 인형의 청을 들어 주고, 인형에게 율도국 위유사라는 사명까지 띠게 해 주었다. 인형은 어머니를 모시고 율도국으로 출발하여 석 달 만에 당도하였다. 왕과 왕비, 대비가 모두 나와 맞이해 주었다. 가족이 모두 모여 즐거운 날을 보내다가 문득 인형의 어머니 유씨가 병을 얻어 일어나지 못하였다. 유씨 부인은 이왕이면 고국산천이나 보고 죽고 싶다고 하였다. 하는 수 없이 인형이 어머니를 모시고 고국으로 돌아가니 유씨는 고국에서 세상을 떠났다.

길동의 승천

그 후 30년, 대비는 만족한 생활을 하다가 세상을 떠났고, 길동은 아들 셋과 딸 둘을 낳았는데, 모두 부모를 닮아 훌륭한 기품과 재주를 갖추었다. 그러므로 장자는 세자로 봉하고, 그 밖의 아들은 각각 군으로 봉하였다. 딸들도 훌륭한 부마를 얻으니 나라 안이 평안하였다.

길동의 나이 70이 되었을 때였다. 후원 영락전에 온갖 풍악을 갖추고 노래를 지어 불렀다.

세상 일을 생각하니
풀 끝의 이슬 같구나.
백 년을 산다 하나
또한 뜬구름 같다.

귀천이 때 있는 법
다시 보기 어려워라.
소년이 어제 같더니
백발될 줄 어이 알리.

노래를 마치자 문득 오색 구름이 전각을 두르며 한 노인이 지팡이를 짚고 전각 안으로 들어왔다. 그 노인이 길동에게 말하였다.

"그대의 인간 재미가 어떠하오? 이제 우리 모두 모여 삽시다."

말이 끝나고 보니, 길동과 왕비는 사라져 버렸다. 이것을 본 시녀들은 왕과 왕비가 승천한 것을 알고 슬피 통곡하였다.

자손과 하인들은 두 사람의 시신이 없어서 거짓 관을 만들어 선릉에 안장하고 능 이름을 현릉이라고 하였다.

그 후, 세자가 즉위하니 길동이 남긴 덕과 새 임금의 덕망으로 나라는 더욱 번성하고, 백성들은 더욱 복되게 지냈다.

양반전

박 지 원

지은이

1737~1805년. 자는 중미, 호는 연암. 조선 영·정조 때의 학자로, 북학파의 우두머리. 실학자 홍대용에게 서양의 신학문을 배웠다. 박제가, 홍대용 등과 함께 청나라 문물을 받아들일 것을 주장했던 우리나라 실학파 선구자의 한 사람이다. 대표작 〈열하일기〉를 통해 정치, 경제, 병사, 천문, 지리, 문학 등 각 방면에 걸쳐 청나라의 신문물을 서술, 그 곳의 실학 사상을 소개했다.

양 반 전

'양반' 이란 명칭은 이른바 사족(문벌이 좋은 집안, 또는 그 자손)들에 대한 존칭이다.

강원도 정선에 한 양반이 살고 있었다. 그는 무척 현명하고 슬기로워 밤낮 글읽기를 즐겼다.

그의 소문이 자자해 부임해 오는 원님마다 반드시 그의 초가를 찾아가 인사를 나누곤 했다.

그 양반은 한 뙈기의 땅도 없었으니 살림이 궁벽하기가 이루 말할 수가 없었다. 그래서 해마다 관가에서 빌려 주는 환곡을 타다 먹었다. 그러나 한 번도 갚지 못하여 어느덧 빚은 천 석에 이르렀다.

어느 날, 관내의 고을을 순시하던 관찰사가 들렀다. 환곡의 출납을 조사하던 그는 몹시 노해,

"무슨 양반이 이 많은 환곡을 거저 먹는단 말인가! 당장 잡아들이도록 하라."

하고 추상 같은 영을 내렸다. 그러나 한편으로 군수는,

'그 양반은 너무 가난해 도저히 천 석의 양곡을 갚을 길이 없을 텐데 어찌 잡아 가둘 수 있으랴!'

하고 애석하게 생각했다. 하지만 나라의 법을 어길 수는 없었다.

이 소문을 들은 양반 역시 밤낮 울고만 있었다. 그로서는 도무지 대

책이 서지 않았기 때문이다.

그 꼴을 보던 아내가 핀잔을 주었다.

"이 때껏 영감은 글만 읽더니 이제는 관가에서 꾸어다 먹은 양식도 갚을 길이 없구려. 양반 양반 하고 고개를 끄덕거리지만 정말 더럽구려. 한 푼어치의 값어치도 없는 그놈의 양반, 에잇 치사해."

한편, 건넛마을에 문벌이 보잘것없는 한 부자가 살았다. 양반이 잡혀 가게 되었다는 소문을 들은 부자는 뜻한 바가 있어 장성한 아들을 불렀다.

"양반들은 아무리 가난해도 남의 존대를 받으며 영화를 누리는데, 우리는 재물은 많지만 항상 하대를 받으며 천하게 살아야 할 뿐만 아니라 말도 한번 거드럭거리며 타 보지 못하는구나."

아비의 장탄식을 들은 아들도 억울하다는 듯이 말했다.

"어디 그뿐인가요. 양반 코빼기만 봐도 몸둘 곳을 몰라 굽실거려야 하고, 섬돌 밑에서 엎드려 절하며, 코가 땅에 닿도록 무릎걸음으로 설설 기어야 되잖아요."

이번에는 작은아들이 나섰다.

"우리네는 재물을 잔뜩 쌓아 두고도 밤낮 그 모양으로 살아야 하니 부끄러워서 어디 견디겠어요."

아비가 다시 입을 열었다.

"보아하니 지금 건넛마을 양반이 가난해서 환곡을 갚지 못하고 몹시 난처한 입장인 모양이니, 그대로 가다가는 양반의 신분을 갖지 못할 것 같다더구나."

하며 자식들의 눈치를 살피는데, 작은아들이 불쑥 한 마디 던졌다.

"그놈의 양반 감투를 사 버리죠."

그러자 큰아들이 맞장구를 쳤다.

"아버지, 그게 좋겠습니다. 우리가 환곡을 대신 갚아 주고 양반 감투를 산다면 재물도 있것다 한번 거드럭거리며 살 수 있잖겠어요?"

부자는 서둘러 양반의 집으로 갔다. 그리하여 환곡을 갚아 주는 대신 양반의 신분을 넘겨줄 것을 청했다.

양반은 속수무책이라 잡혀가는 날만 기다리던 참이라 '이게 웬 떡이냐' 생각하고 그 자리에서 승낙하고 말았다.

부자는 이렇게 하여 환곡 일천 석을 당장 관가에다 갚았다. 그러나 누구보다도 놀란 것은 군수였다. 어떻게 해서 하루아침에 일천 석을 구할 수 있었는지 무척 궁금하였다.

어쨌든 양반이 벌은 모면하게 되었으니 그 일을 치하도 하고 환곡을 갚을 수 있었던 비결을 알아보기 위해 군수는 손수 양반의 집으로 향했다.

그런데 이게 웬일인가! 양반은 상사람이나 다름없이 벙거지에 잠방이 차림으로 뜰 아래로 내려가 엎드렸다. 그리고는

"소인은⋯⋯."

하면서 군수를 바로 바라보지도 못하는 것이었다.

군수는 깜짝 놀라 양반의 손을 잡아 일으키며 물었다.

"이게 웬일이시오. 어찌해서 이렇듯 스스로 몸을 낮추십니까?"

양반은 더욱 송구함을 억제하지 못하고 엎드려 말했다.

"영감, 소인은 오직 황공할 뿐입니다. 감히 어느 안전이라고 스스로 욕된 모습을 하오리까. 사실은 제가 '양반'을 팔아서 환곡을 갚았습니다. 그러므로 이제부터는 건넛마을의 부자가 '양반'이 되었습니다. 그러니 어찌 소인이 '양반'을 입에 올리겠습니까. 이제 소인은 영감을 감히 쳐다볼 수도 없는 상사람일 뿐입니다."

군수는 이 말을 듣고 잠시 생각에 잠기더니 이윽고 말했다.

"그 부자야말로 진실로 군자로다! 그 부자야말로 진실로 양반이로다. 재물이 많아도 인색하지 않으니 의리가 있고, 남의 어려운 처지를 도와주었으니 인자하고, 천한 것을 미워하고 존귀한 것을 숭상하니 현명하다. 이런 사람이야말로 진실로 양반이다. 그러나 '양반'의 매매는 사사로이 이루어진 것이라 아무 문서도 꾸미지 않았으니, 앞으로 송사가 일어날지도 모를 일이다. 그러므로 내가 이 고을 사람들을 모아 놓고 이 사실을 알리며, '양반매매증서'를 만들고, 이를 확실하게 하기 위해서 이 고을의 군수인 내가 증인 자격으로 서명 날인을 할까 하는데 어떠시오?"

"예. 그렇게 하겠습니다."

양반이 머리를 조아리며 대답하였다.

군수는 이렇게 다짐하고는 곧 돌아갔다.

관가로 돌아온 군수는 호방을 불러들여 관내에 있는 양반을 비롯해서 농민, 장인과 장사치에 이르기까지 모조리 불러들이도록 명령하였다.

이윽고, 관가의 넓은 뜨락에는 많은 사람들로 가득 찼다.

부자는 양반들이 늘어앉은 오른쪽에 자리를 잡았고, 양반을 팔아먹은 사람은 이속들이 늘어선 섬돌 아래에 서 있었다.

드디어 '양반증서'가 작성되었다.

건륭 십년 구월 모일에 이 문서를 만드노라. 환곡을 갚기 위해 몸을 굽혀 양반을 팔았으니 그 값은 쌀 천 석이라. 본디 양반을 여러 가지 말로 부르니, 이를테면 글만 읽는 양반은 선비라 하고, 정사에 관여하는 양반은 대부라 하고, 덕이 높은 양반은 군자라고 한다.

예로부터 무관은 서쪽 반열에 늘어서고 문관은 서열에 따라 동쪽 반열에 차례에 따라 선다. 이를 통틀어서 양반이라고 하는 것이다. 그러므로 여기서 '양반'을 산 자는 자신의 의향대로 두 반열 중 하나를 택할 것인데, 천박한 언동을 하지 않을 것이며 옛 사람의 행적을 본받아서 실천할 것을 약속해야 한다.

우선 매일같이 오경이면 잠자리에서 일어나 등촉을 밝히고 바로 꿇어앉아 눈은 코끝을 내려다보면서 얼음 위에 조롱박을 굴리듯 동래박의를 달달 읽어야 되느니라. 배고픔을 참고 추위를 이겨 내야 하며, 가난이란 말은 아예 입에 담지도 말아야 할 것이다. 또한 일 없이 앉아 있을 때에는 아래위 잇줄을 마주쳐 딱딱거리며 뒤통수를 툭툭 치며 잔기침을 하고 입을 다셔서 침을 넘겨야 하는 것이다. 탕건이나 갓은 소매로 살살 문질러서 먼지를 털어 내어 윤이 나도록 하여 쓰고, 세수를 할 때에는 주먹으로 씻지 말 것이며, 양치질은 두어 차례만 고상하게 해야 하느니라. 노비를 부를 때에는 길게 목청을 돋우어 부르고 점잖은 팔자걸음으로 걸으며 신은 가볍게 끌어야 하느니라.

고문진보와 당시품휘를 잔글씨로 베끼되, 한 줄에 백 자씩 들어가게 써야 한다.

돈을 손에 쥐지 말 것이며, 쌀값을 물어서도 아니되는 법이니라. 아무리 덥다고 해도 버선을 벗지 못하며, 밥상을 대할 때에는 꼭 의관을 갖추어야 하며, 맨상투 바람으로 앉으면 못 쓰느니라. 또 밥을 먹을 때는 국을 먼저 먹지 말 것이며, 국물을 떠마실 때에도 훌훌 소리내어 마셔서는 안 되는 것이니라. 젓가락을 절구질하듯 놀려서도 안 되고, 파를 날로 먹어서도 아니되느니라. 막걸리를 마실 때에는 수염을 빨아서도 아니되며, 담배를 피울 때에도 불이 꺼지도록 세게 빨아서는 안 되는 것이라.

아무리 분한 일이 있어도 아내에게 손찌검을 해서는 아니되며, 화가 치밀었다고 해도 발로 기물을 차서는 안 되며, 노비들을 꾸짖을 일이 있어도 '죽일놈 같으니! 죽일년 같으니!' 하며 욕설을 상스럽게 해서는 안 되며, 말이나 소를 나무라는 데도 그 주인을 욕해서는 안 되는 법이니라.

집안에 우환이 생겼더라도 무당은 부르지 말며, 제사를 지낼 때에도 중을 불러 재를 올려서도 아니되며, 추워도 화롯불을 쬐어서는 못 쓰고, 이야기할 때에는 침이 튀지 않도록 해야 하며, 소를 잡아서도 안 되고 돈노름도 하지 말아야 하느니라.

무릇 이 같은 여러 행실이 양반과 같지 않을 때에는 이 문서를 가지고 와서 마땅히 송사를 할 것이니라.

이렇게 하여 정선 군수가 문서의 말미에 이름을 쓰고, 좌수와 별감이 똑같이 증인이 되어 이름을 나란히 기재하였다.

이어서 통인을 시켜 도장을 찍도록 하니, 그 소리는 마치 엄한 명령을 알리는 북소리와도 같고, 도장을 나란히 찍어 놓으니 별들이 밤하늘에 널려 있는 것과 같았다.

호장이 증서를 집어들어 다시 읽어 주니, 양반을 산 부자가 이렇게 뇌까리며 한숨을 쉬었다.

"허허! 양반이 겨우 이것뿐입니까? 나는 양반이 신선과 같다고 들었으며 또 그렇게 알고 있었기 때문에 천 석이나 되는 그 많은 재산을 서슴없이 내놓은 것입니다. 나에게 좀더 이롭게 정정해 주십시오."

군수는 속으로 괘씸하게 생각했다. 그러나 일천 석의 환곡을 갚아 준 그의 신세도 있었기 때문에 눌러 참고 다시 조목을 첨가해서 '양반증서'를 고치기로 하였다.

하늘이 백성을 네 종류로 길러 냈으니 이 네 종류의 백성 중에서 제일 으뜸가는 것은 선비라고 불리는 양반이며, 막대한 이점을 가졌느니라.

몸소 장사를 하거나 농사를 짓는 일이 없을 뿐 아니라 대충 글을 배우면 크게 문과에 급제를 하고, 적어도 진사는 될 수 있느니라. 문과에 급제를 하면 홍패를 받게 되는데, 크기라야 두 자 남짓하지만 이것만 가지고 있으면 무엇이든지 갖출 수 있어 그야말로 돈자루나 진배없느니라.

진사는 삼십 세에 첫 벼슬을 하더라도 음관으로서 이름이 나고, 앞으로 더 높은 벼슬에 오를 수 있다. 그리하여 귀 밑의 털은 양산 바람에 희어지고, 배는 노비들의 긴 대답 소리에 설혹 먹지 않더라도 불러지는 것이라.

방 안에는 화분을 들여놓아 기생으로 삼으며, 뜨락에는 학을 키워 우짖게 하는 것이니라.

설혹 궁색한 선비가 낙향을 하더라도 마음대로 할 수 있는 법이니, 이웃의 소라 하더라도 빌려 자기의 논밭을 먼저 갈게 하고, 동네 사람들을 시켜 김을 매게 하는 것이라.

만약 누구라도 양반을 업신여긴 나머지 말을 듣지 않을 때에는 그놈을 잡아 코에 잿물을 부으며, 상투를 잡아매고 수염을 뽑더라도 감히 원망을 못하느니라.

호장이 여기까지 읽어 내려가자 부자가 갑자기 손을 저으면서,
"아이쿠 맙소사!"
하고는 자리에서 벌떡 일어나 말하였다.

"그만두십시오. 그만둬요. 너무합니다. 참으로 맹랑하기 짝이 없습니다. 나리들이 장차 나를 도둑으로 만들 작정이십니까?"

하고는 머리를 절레절레 흔들면서 줄행랑을 쳐 버렸다.

그리하여 그는 죽는 날까지 아예 '양반'이라는 말을 입에 담지도 않았다고 한다.

작품 알아보기
(고전 문학)

〈홍길동전〉은 우리 나라의 신화와 전설에 나오는 영웅의 전기 유형을 보여 주는 영웅 소설이다. 그 형식을 살펴보면, 기이한 출생으로 인하여 고난과 시련을 겪은 다음, 고난 극복과 문제의 해결 과정을 거쳐 보상과 행복한 결말에 이르는 전형적인 구조를 이루고 있다. 또한 율도국이라는 이상향을 동경하고 도교적인 내용의 도술을 다루어 이후에 나온 〈전우치전〉, 〈조웅전〉 등의 군담 소설에 영향을 주었다.

이 작품에서 보여지는 도술, 의적 등의 내용은 중국의 〈수호전〉, 〈서유기〉, 〈삼국지연의〉 등의 영향을 받은 것으로 보인다.

작품의 내용은 당시에 실재했던 도적 홍길동의 이야기에다 적서 차별의 문제, 이상국가의 제시 등 작가의 사상을 방영해 이루어진 것이다.

〈양반전〉은 〈허생전〉, 〈호질〉과 함께 박지원의 대표적인 풍자소설이다.

박지원은 이 작품을 통하여 당시 양반 사회의 허위와 부패를 폭로했다. 특히 문권에 나타나는 양반의 특권과 지켜야 할 사항은 당시 양반들의 형식에 빠진 허례허식, 비인간적인 수탈의 양상을 잘 보여 준다. 또한 치부로 신분 상승을 꾀하는 부자 상인의 모습을 통해 조선 후기에 나타난 신분제의 붕괴 양상을 보여 주기도 한다.

논술 길잡이
(고전 문학)

❶ 아래 그림들은 〈홍길동전〉에 나오는 것들이다. 그림을 보고
내용을 연결하여 그 줄거리를 간단히 써 보자.

....

....

....

....

....

....

논술 길잡이
(고전 문학)

❷ 아래 예문은 〈양반전〉에 나오는 것으로, 양반들의 위선에 대해 써 놓은 것이다. 그렇다면 양반의 백성에 대한 수탈에 대해 씌어진 것으로는 어떠한 내용이 있는지 본문에서 찾아 써 보자.

> 돈을 손에 쥐지 말 것이며, 쌀값을 물어서도 아니되는 법이니라. 아무리 덥다고 해도 버선을 벗지 못하며, 밥상을 대할 때에는 꼭 의관을 갖추어야 하며, 맨상투 바람으로 앉으면 못 쓰느니라. 또 밥을 먹을 때는 국을 먼저 먹지 말 것이며, 국물을 떠마실 때에도 훌훌 소리내어 마셔서는 안 되는 것이니라. 젓가락을 절구질하듯 놀려서도 안 되고, 파를 날로 먹어서도 아니되느니라. 막걸리를 마실 때에는 수염을 빨아서도 아니되며, 담배를 피울 때에도 불이 꺼지도록 세게 빨아서는 안 되는 것이라.

논술 길잡이
(고전 문학)

❸ 〈홍길동전〉에는 비현실적인 내용이 많이 나온다. 어떠한 내용들이 그러한지 생각나는 대로 써 보자.

❹ 〈홍길동전〉의 '배반자의 무덤' 편을 보면, 홍길동은 화공법을 써서 적을 물리치지만 결국 이 전투를 통해 숲이 불타고 많은 사람이 죽는다.
이러한 홍길동의 행동에 대해 자신의 의견을 글로 표현해 보자.

논·술·한·국·대·표·문·학 〈전60권〉

펴 낸 이	정재상
펴 낸 곳	훈민출판사
주 소	경기도 고양시 덕양구 원당동 416번지
대표전화	(031)962-3888
팩 스	(031)962-9998
출판등록	제395-2003-000042호